船舶电气控制及自动化

主　编　何　琪
副主编　邵汉东
参　编　毛攀峰　林型平
主　审　林　涛

HE·UP 哈爾濱工程大學 出版社

内 容 简 介

本书较全面地介绍了船舶电气控制。在学习理论知识的同时,也介绍了技术技能的演练,是一本贴近生产实际情况、实用性较强的教材。书中主要介绍了船用低压电器选择、船舶电气基本控制环节安装与调试、典型设备电气控制系统调试、船舶机舱辅机电气控制分析的内容,此外也简单介绍了船舶PLC控制和船舶自动控制理论,为以后从事船舶电气自动化工作岗位奠定了基础。内容循序渐进,由浅入深,辅以实例,通俗易懂,便于自学。

本书可以作为高职高专相关专业教材,也可作为船舶电气工程技术专业自学教程或培训教程,对从事船舶电气工程技术人员也有一定参考价值。

图书在版编目(CIP)数据

船舶电气控制及自动化/何琪主编. —哈尔滨:
哈尔滨工程大学出版社,2014.9(2023.1 修订)
ISBN 978 - 7 - 5661 - 0914 - 9

Ⅰ. ①船… Ⅱ. ①何… Ⅲ. ①船用电气设备 – 电气控
制 Ⅳ. ①U665

中国版本图书馆 CIP 数据核字(2014)第 202506 号

出版发行	哈尔滨工程大学出版社
社　　址	哈尔滨市南岗区南通大街 145 号
邮政编码	150001
发行电话	0451 - 82519328
传　　真	0451 - 82519699
经　　销	新华书店
印　　刷	哈尔滨市石桥印务有限公司
开　　本	787 mm ×1 092 mm　1/16
印　　张	11.5
字　　数	290 千字
版　　次	2014 年 9 月第 1 版　2023 年 1 月修订版
印　　次	2023 年 1 月第 3 次印刷
定　　价	25.00 元

http://www.hrbeupress.com
E-mail:heupress@ hrbeu.edu.cn

前　言

注重"学思结合""知行统一""因材施教"的人才培养模式是新世纪人才培养体制改革的核心环节。这是针对当前人才培养过程中存在的重灌输轻启发、重理论轻实践、重共性轻个性等问题进行的改革,其中,注重知行统一就是要在教育教学过程中注重对学生实践能力的培养,坚持教育与生产劳动、社会实践相结合,让学生不仅学会知识,还学会动手动脑,学会做事做人。尤其是现在的高等职业教育要将知识、能力及社会实践相结合,才能真正为人的职业生涯发展奠定基础。当前,教育与实践相结合的重点是加强教学的开放性和实践性,强化技能操作、社会实践等培养,因此要善于从实践中吸取鲜活的教育素材,开发便于提高实际动手能力的教材,《船舶电气控制及自动化》就是基于此想法而编写的。

本书主要涉及船舶电气设备操作、控制、安装、调试、排故作业中所必需的知识与技能要点,其中不少内容来自于生产现场,确保教材内容与船舶电气实际工况相一致。

本教材由7个情境组成,其中浙江嘉蓝海洋电子有限公司邵汉东编写情境4和情境5,浙江国际海运职业技术学院毛攀峰和林型平分别编写情境1、情境2和情境3,浙江国际海运职业技术学院何琪编写情境6、情境7,本书由何琪任主编并负责统稿。此外,浙江华源电气有限公司教授级高级工程师林涛担任主审,保证了教材的质量,在此一并表示感谢。

本教材在编写过程中调研了多家电气设备生产的企业,尤其感谢舟山市三峰电气设备有限公司、浙江华源电气有限公司、浙江森森实业有限公司等企业的大力支持,为教材提供较多的素材。

本书虽然经过编委组成员为期一年的共同努力,但由于电气设备的日新月异,可能会有部分内容与实际情况有所不同,可以在再版时提出修改,也请各位同仁提出宝贵的意见与建议。

另外,本书在编写过程中,参考或引用了国内一些专家学者的论著,在此表示感谢!

借此教材出版之机,感谢编委组成员的付出,感谢评审专家的精心匡正,感谢各位同仁的关注与帮助,谢谢!

编　者
2014 年 3 月于舟山

目 录

学习情境 1 船用低压电器的选择

【学习任务概况】

知识目标：熟悉常用低压电器的用途、结构、工作原理、型号及技术参数；掌握常用低压电器的功能、用途及电气符号。

能力目标：能正确选用和使用常用低压电器；初步具有常用低压电器的安装和维护的能力。

典型任务 1 常用低压电器

低压电器是指工作在交流额定电压 1 200 V 及以下，直流额定电压 1 500 V 及以下的电路中起通断、保护、控制或调节作用的电器设备。低压电器作为基本元器件广泛应用于船舶电气、发电厂、变电所、工矿企业、交通运输等的电力输配电系统和电力拖动控制系统中。低压电器是构成控制系统最常用的器件，了解它的分类、结构和用途，对设计、分析和维护控制系统都是十分必要的。

1.1.1 低压电器的分类

控制系统和输配电系统中用的低压电器种类繁多，按它所控制的对象分类，可分为低压配电电器和低压控制电器。低压配电电器：用于低压供配电系统中，如低压断路器、低压隔离器等。低压控制电器：用于电气控制线路中，如继电器、接触器等；按所起作用分类，可分为控制电器、主令电器、保护电器和执行电器。控制电器：用来控制电路的通断，如开关、继电器、接触器等。主令电器：用来发送控制指令以控制其他自动电器的动作，如按钮、主令开关、行程开关等。保护电器：用于对电路和电气设备进行安全保护，如熔断器、热继电器等。执行电器：用来执行某种动作或传动功能，如电磁铁、电磁离合器等；按动作性质分类，可分为自动控制电器和非自动控制电器。自动控制电器：按照电信号或非电信号的变化而自动动作的电器，如继电器、接触器等。非自动控制电器：由人工直接操作而动作的电器，如按钮、开关等；按工作原理分类，可分为电磁式电器和非电量控制电器。电磁式电器：根据电磁感应原理来工作的电器，如继电器、接触器等。非电量控制电器：依靠外力或非电量的变化而动作的电器，如按钮、温度继电器等。

1.1.2 电磁式低压电器的基本结构

电磁式电器是电气控制系统中最常见的低压电器，从其基本结构上看，大部分由电磁机构、触头系统和灭弧装置三个部分组成，如图 1－1 所示。

1.电磁机构

(1)电磁机构的结构形式

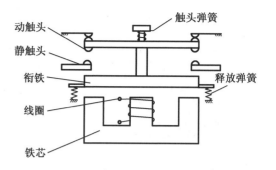

图1-1　电磁式低压电器的基本结构

电磁机构是电磁式低压电器的感测部分,其作用是将电磁能转换为机械能,从而带动触头动作,达到接通或分断电路的目的。电磁机构由吸引线圈和磁路两部分组成。其中磁路包括铁芯、衔铁和空气隙。其工作原理是:当吸引线圈通入一定的电压或电流后,产生磁场,磁通经铁芯、衔铁和工作气隙形成闭合回路,产生电磁吸力,衔铁即被吸向铁芯,从而带动衔铁上的触头动作,以完成触头的断开和闭合。电磁机构的结构形式按铁芯形式分有单E型、单U型、螺管型、双E型等;按衔铁动作方式分有直动式、转动式,如图1-2所示。根据吸引线圈通电电流的性质不同,可分为直流电磁线圈和交流电磁线圈。对于直流电磁线圈,铁芯和衔铁可以用整块电工软钢制成;对于交流电磁线圈,为了减少因涡流等造成的能量损失和温升,铁芯和衔铁用硅钢片叠成。当线圈并联于电路工作时,称为电压线圈,其特点是线圈的匝数多,线径细;当线圈串联于电路工作时,称为电流线圈,其特点是线圈的匝数少,线径粗。

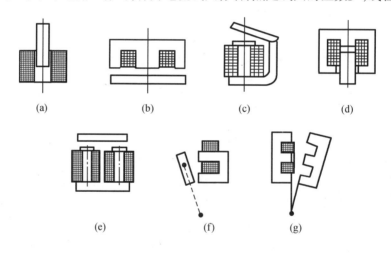

图1-2　电磁机构的结构形式

(a)、(b)、(d)、(e)直动式;(c)、(f)、(g)转动式

(2)电磁机构的工作原理

电磁机构的工作原理常用吸力特性和反力特性来描述,如图1-3所示。

吸力特性:是指电磁吸力随衔铁与铁芯间气隙δ变化的关系曲线。

反力特性:是指反作用力F_r(使衔铁释放的力)与气隙δ的关系曲线。

在衔铁吸合过程中,其吸力特性必须始终处于反力特性上方,即吸力要大于反力;反之衔铁释放时,吸力特性必须位于反力特性下方,即反力要大于吸力(此时的吸力是由剩磁产生的)。在吸合过程中还须注意吸力特性位于反力特性上方不能太高,否则会影响电磁机构寿命。

直流电磁线圈通入的是恒定的直流电流,即在外加电压和线圈电阻 R 一定的条件下其电流值 I 也一定,与空气气隙的大小无关。但作用在衔铁上的吸力 F 却与空气气隙 δ 的大小有关。当电磁铁刚启动时,空气气隙最大,此时磁路中磁阻最大,磁感应强度较小,故吸力最小;当衔铁完全吸合后,空气气隙最小,此时磁路中磁阻最小,磁感应强度较大,吸力最大。交流电磁线圈通入的是交变电流,磁感应强度为交变量,其产生的吸力为脉动值。由于吸力是脉动的,因此衔铁以两倍电

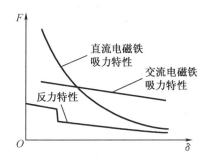

图 1－3　吸力特性与反力特性的配合

源频率在振动,既会引起噪声,又会使电器结构松散,触头接触不良,容易被电弧火花熔焊与蚀损。因此,必须采取有效措施,使得线圈在交流电变小和过零时仍有一定的电磁吸力以消除衔铁的振动。为此,在磁极的部分端面上嵌入一个铜环——称为短路环(或分磁环),如图 1－4 所示。

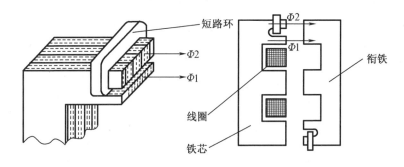

图 1－4　交流电磁铁的短路环

当磁极的主磁通发生变化时,由于在短路环中产生感应电流和磁通,将阻碍主磁通的变化,使得磁极两部分中的磁通之间产生相位差,因而磁极各部分的磁通不会同时降为零,磁极一直具有一定的电磁吸力,这就消除了衔铁的振动,也除去了噪声。

交流电磁铁刚启动时,气隙最大,磁阻最大,线圈电感和感抗为最小,因而这时的电流为最大;在吸合过程中,随着气隙的减小,磁阻减小,线圈电感和感抗增大,电流逐渐减小。当衔铁完全吸合后,电流为最小。在电磁铁启动时,线圈的电流虽为最大,但这时的磁阻要增大到几百倍,而线圈的电流受到漏阻抗的限制,不能增加相应的倍数。因此启动时磁动势增加小于磁阻的增加,于是磁通、磁感应强度减小,吸力较小,当衔铁吸合后,磁阻减小较多,磁动势减小较小,于是磁通、磁感应强度增大,吸力增大。

交流电磁铁工作时,衔铁与铁芯之间一定要吸合好。如果由于某种机械故障,衔铁或机械可动部分被卡住,通电后衔铁吸合不上,线圈中流过超过额定值的较大电流,将使线圈严重发热,甚至烧坏。

2. 触头系统

触头是电器的执行机构,它在衔铁的带动下起接通和分断电路的作用。在闭合状态下动、静触头完全接触,并有工作电流通过时,称为电接触。电接触的情况将影响触头的工作可靠性和使用寿命。影响电接触工作状况的主要因素是触头的接触电阻,因为接触电阻大

时,易使触头发热而温度升高,从而使触头易产生熔焊现象,这样既影响工作可靠性又降低了触头的寿命。触头的接触电阻不仅与触头的接触形式有关,而且还与接触压力、触头材料及表面状况有关。减小接触电阻的方法:(1)触头材料选用电阻率小的材料;(2)增加触头的接触压力;(3)改善触头表面状况。触头接触形式有点接触、面接触、线接触三种,如图1-5所示。点接触式适用于小电流;面接触式适用于大电流;线接触式(又称指形接触)适用于通断次数多、大电流的场合。

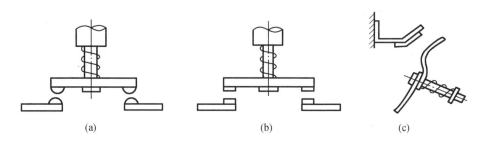

图1-5　触头的三种接触形式

(a)点接触;(b)面接触;(c)线接触

触头按其运动情况分为动触头和静触头,如图1-6所示。固定不动的称为静触头,由连杆带着移动的称为动触头。按触头控制的电路分为主触头和辅助触头。主触头用于接通和断开主电路,允许通过较大的电流;辅助触头用于接通或断开控制电路,只能通过较小的电流。按触头的原始状态可分为常开触头和常闭触头。电器触头在电器未通电或没有受到外力作用时处于闭合位置的称为常闭(又称动断)触头;常态时相互分开的动、静触头称为常开(又称动合)触头。按触头的结构形式可分为桥式触头和指形触头。

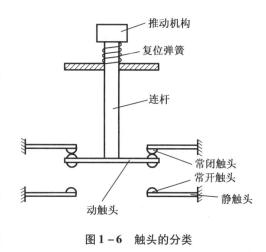

图1-6　触头的分类

3. 电弧的产生和灭弧方法

电弧是在触头由闭合状态过渡到断开状态的过程中产生的,是触头间气体在强电场作用下产生的放电现象,是一种带电质子的急流。电弧的特点是外部有白炽弧光,内部有很高的温度和密度很大的电流。电弧产生的原因主要有强电场放射、撞击电离、热电子发射、高温游离等。

灭弧的基本方法:(1)拉长电弧,从而降低电场强度;(2)用电磁力使电弧在冷却介质中运动,降低弧柱周围的温度;(3)将电弧挤入绝缘壁组成的窄缝中以冷却电弧;(4)将电弧分成许多串联的短弧,增加维持电弧所需的临界电压降。常用的灭弧装置有电动力吹弧、磁吹灭弧、栅片灭弧、窄缝灭弧等,分别如图1-7、1-8、1-9、1-10所示。

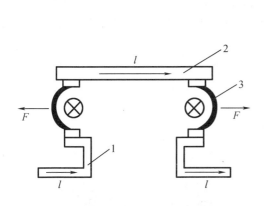

图 1-7   双断口电动力吹弧示意图

1—静触头；2—动触头；3—电弧

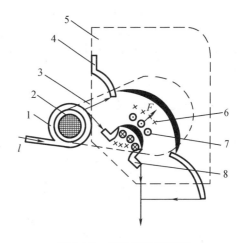

图 1-8   磁吹灭弧原理图

1—磁吹线圈；2—铁芯；

3—导磁夹板；4—引弧角；

5—灭弧罩；6—磁吹线圈磁场；

7—电弧电流磁场；8—动触头

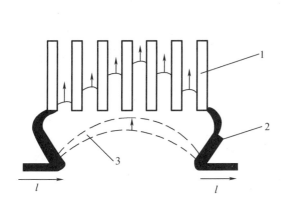

图 1-9   栅片灭弧示意图

1—灭弧栅片；2—触头；3—电弧

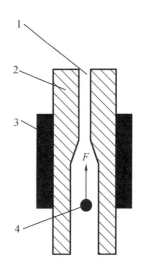

图 1-10   窄缝灭弧示意图

1—纵缝；2—介质；

3—磁性夹板；4—电弧

典型任务 2   接触器的选用

接触器是一种自动接通或断开大电流电路的电器。它可以频繁地接通或分断交直流电路，并可实现远距离控制。其主要控制对象是电动机，也可用于电热设备、电焊机、电容器组等其他负载。它还具有低电压释放保护功能。接触器具有控制容量大、过载能力强、寿命长、设备简单经济等特点，是电力拖动自动控制线路中使用最广泛的低压电器。按照主触头所控制电路的电流性质种类,接触器可分为交流接触器和直流接触器;按操作方式可分为电磁接触器、气动接触器和电磁气动接触器;按灭弧介质可分为空气电磁式接触器、油浸式接触器和真空接触器等;按电磁机构的励磁方式可分为直流励磁操作与交流励磁操作两种。

1.2.1　交流接触器

1. 交流接触器的结构与工作原理

交流接触器主要由电磁机构、触头系统、灭弧装置等组成。交流接触器的结构示意图如图1-11所示。电磁机构由线圈、静铁芯和动铁芯(衔铁)组成,其作用是将电磁能转换为机械能,产生电磁吸力带动触头动作。其触头系统包括主触头和辅助触头。主触头用于通断主电路,通常为三对常开触头;辅助触头用于控制电路,起电气联锁作用,故又称为联锁触头,一般常开、常闭各两对。容量在10 A以上的接触器都有灭弧装置。对于小容量的接触器,常采用双断口触头灭弧、电动力灭弧、相间弧板隔弧及陶土灭弧罩灭弧。对于大容量的接触器,采用纵缝灭弧罩及栅片灭弧。除了电磁机构、触头系统、灭弧装置,交流接触器还有其他部件,主要包括反作用弹簧、缓冲弹簧、触头压力弹簧、传动机构及外壳等。

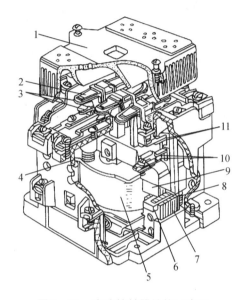

图1-11　交流接触器结构示意图
1—灭弧罩;2—触头压力弹簧片;3—主触头;
4—反作用弹簧;5—线圈;6—短路环;7—静铁芯;
8—触头弹簧;9—动铁芯;10—辅助常开触头;
11—辅助常闭触头

电磁式接触器的工作原理:当电磁线圈通电后,线圈电流产生磁场使静铁芯产生电磁吸力吸引衔铁,并带动触头动作,使常闭触头断开,常开触头闭合,两者是联动的。当电磁线圈断电时,电磁力消失,衔铁在释放弹簧的作用下释放,使触头复原,即常开触头断开,常闭触头闭合。

2. 交流接触器的分类

交流接触器的种类很多,其分类方法也不尽相同。大致有以下几种分类方法。

(1)按主触头极数分可分为单极、双极、三极、四极和五极接触器

单极接触器主要用于单相负载,如照明负荷、电焊机等;双极接触器用于绕线转子异步电动机的转子回路中,启动时用于短接启动绕组;三极接触器用于三相负荷,例如在电动机的控制和其他场合,使用最为广泛;四极接触器主要用于三相四线制的照明线路,也可用来控制双回路电动机负载;五极接触器用来组成自耦补偿启动器或控制笼型电动机,以变换绕组接法。

(2)按灭弧介质分可分为空气式接触器和真空式接触器等

依靠空气绝缘的接触器用于一般负载,而采用真空绝缘的接触器常用在煤矿、石油、化工企业及电压在660 V和1 140 V等特殊场合。

（3）按有无触头分可分为有触头接触器和无触头接触器

常见的接触器多为有触头接触器,而无触头接触器属于电子技术应用的产物,一般采用晶闸管作为回路的通断元件。由于可控硅导通时所需的触发电压很小,而且回路通断时无火花产生,因而可用于高操作频率的设备和易燃、易爆、无噪声的场合。

3. 交流接触器的基本参数

（1）额定电压

额定电压指主触头额定工作电压,应等于负载的额定电压。一只接触器常规定几个额定电压,同时列出相应的额定电流或控制功率。通常,最大工作电压即为额定电压。常用的额定电压值为 220 V、380 V、660 V 等。

（2）额定电流

额定电流是接触器触头在额定工作条件下的电流值。380 V 三相电动机控制电路中,额定工作电流可近似等于控制功率的两倍。常用额定电流等级为 5 A、10 A、20 A、40 A、60 A、100 A、150 A、250 A、400 A、600 A。

（3）通断能力

通断能力可分为最大接通电流和最大分断电流。最大接通电流是指触头闭合时不会造成触头熔焊时的最大电流值;最大分断电流是指触头断开时可靠灭弧的最大电流。一般通断能力是额定电流的 5 ~ 10 倍。当然,这一数值与分断电路的电压等级有关,电压越高,通断能力越小。

（4）动作值

动作值可分为吸合电压和释放电压。吸合电压是指接触器吸合前,缓慢增加吸合线圈两端的电压,接触器可以吸合时的最小电压;释放电压是指接触器吸合后,缓慢降低吸合线圈的电压,接触器释放时的最大电压。一般规定,吸合电压不低于线圈额定电压的 85%,释放电压不高于线圈额定电压的 70%。

（5）吸引线圈额定电压

吸引线圈额定电压是接触器正常工作时,吸引线圈上所加的电压值。一般该电压数值以及线圈的匝数、线径等数据均标于线包上,而不是标于接触器外壳铭牌上,使用时应加以注意。

（6）操作频率

接触器在吸合瞬间,吸引线圈需消耗比额定电流大 5 ~ 7 倍的电流,如果操作频率过高,则会使线圈严重发热,直接影响接触器的正常使用。为此,规定了接触器的允许操作频率,一般为每小时允许操作次数的最大值。

（7）寿命

接触器的寿命包括电气寿命和机械寿命。目前接触器的机械寿命已达到一千万次以上,电气寿命为机械寿命的 5% ~ 20%。

4. 常用典型交流接触器简介

（1）空气电磁式交流接触器

空气电磁式交流接触器的典型产品有 CJ20、CJ21、CJ26、CJ35、CJ40、NC、B、LC1 - D、3TB、3TF 系列交流接触器等。

（2）切换电容器接触器

切换电容器接触器专用于低压无功补偿设备中投入或切除并联电容器组,以调整用电系统的功率因素。其常用产品有 CJ16、CJ19、CJ39、CJ41、CJX4、CJX2A、6C 系列等。

CJ20 系列型号含义：

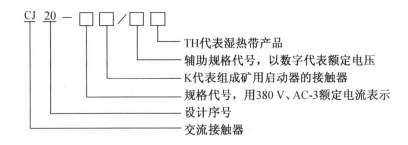

B 系列型号含义：

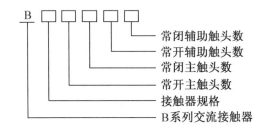

(3) 真空交流接触器

真空交流接触器以真空为灭弧介质，其主触头密封在真空开关管内。其适用于条件恶劣的危险环境中。常用的真空交流接触器有 3RT12、CKJ 和 EVS 系列等。

1.2.2 直流接触器

直流接触器主要应用于远距离接通与分断直流电路，以及直流电动机的频繁启动、停止、反转或反接制动控制，还用于 CD 系列电磁操作机构合闸线圈、频繁接通和断开起重电磁铁、电磁阀、离合器、电磁线圈等。直流接触器的结构和工作原理与交流接触器基本相同，也由电磁机构、触头系统和灭弧装置组成。电磁机构采用沿棱角转动拍合式铁芯，由于线圈中通入直流电流，铁芯不会产生涡流，可用整块铸铁或铸钢制成铁芯，不需要短路环。触头系统有主触头和辅助触头，主触头通断电流大，采用滚动接触的指形触头；辅助触头通断电流小，采用点接触的桥式触头。由于直流电弧比交流电弧难以熄灭，故直流接触器采用磁吹式灭弧装置和石棉水泥灭弧罩组成。直流接触器通入直流电，吸合时没有冲击启动电流，不会产生猛烈撞击现象，因此使用寿命长，适用于频繁操作的场合。常用直流接触器有 CZ18、CZ21、CZ22、CZ0 和 CZT 系列等。

CZ18 系列接触器型号含义：

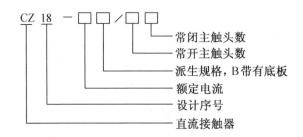

接触器的符号如图 1 - 12 所示。

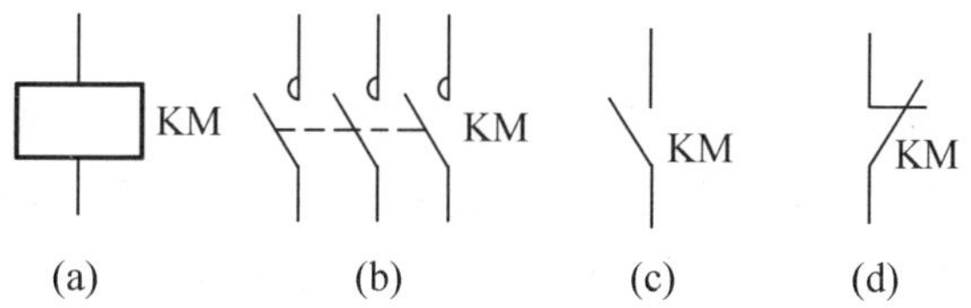

图 1 - 12　接触器的符号
(a)线圈;(b)主触头;(c)常开辅助触头;(d)常闭辅助触头

1.2.3　接触器的选用

(1)接触器极数和电流种类的确定。接触器的极数根据用途确定。接触器的类型应根据电路中负载电流的种类来选择。

(2)根据接触器所控制负载的工作任务来选择相应使用类别的接触器。

(3)根据负载功率和操作情况来确定接触器主触头的电流等级。应根据控制对象类型和使用场合,合理选择接触器主触头的额定电流。控制电阻性负载时,主触头的额定电流应等于负载的额定电流。控制电动机时,主触头的额定电流应大于或稍大于电动机的额定电流。当接触器使用在频繁启动、制动及正反转的场合时,应将主触头的额定电流降低一个等级使用。

(4)根据接触器主触头接通与分断主电路电压等级来决定接触器的额定电压。所选接触器主触头的额定电压大于或等于控制线路的电压。

(5)接触器吸引线圈的额定电压应由所接控制电路电压确定。当控制线路简单,使用电器较少时,应根据电源等级选用 380 V 或 220 V 的电压。当线路复杂时,从人身和设备安全角度考虑,可选择 36 V 或 110 V 电压的线圈,此时增加相应变压器设备容量。

(6)接触器触头数和种类应满足主电路和控制电路的要求。

1.2.4　接触器的安装与使用

接触器一般应安装在垂直面上,倾斜度不得超过 5°,若有散热孔,则应将有孔的一面放在垂直方向上,以利散热。安装和接线时,注意不要将零件失落或掉入接触器内部,安装孔的螺钉应装有弹簧垫圈和平垫圈,并拧紧螺钉以防振动松脱。接触器还可作为欠压、失压保护用,它的吸引线圈在电压为额定电压的 85% ~ 105% 范围内保证电磁铁的吸合,但当电压降到额定电压的 50% 以下时,衔铁吸力不足,自动释放而断开电源,以防止电动机过电流。

有的接触器触头嵌有银片,银氧化后不影响导电能力,这类触头表面发黑,一般不需清理。

带灭弧罩的接触器不允许不带灭弧罩使用,以防短路事故发生。陶土灭弧罩质脆易碎,应避免碰撞,若有碎裂,应及时更换。

典型任务 3　继电器的选用

继电器是一种利用各种物理量的变化,将电量或非电量信号转化为电磁力或使输出状态发生阶跃变化,从而通过其触头或突变量促使在同一电路或另一电路中的其他器件或装置动作的一种控制元件。它用于各种控制电路中进行信号传递、放大、转换、联锁等,控制主电路和辅助电路中的器件或设备按预定的动作程序进行工作,实现自动控制和保护的目的。常用的继电器按动作原理分有电磁式、磁电式、感应式、电动式、光电式、压电式、热继电器与电子式继电器等。按反应的参数(动作信号)分为电压、电流、时间、速度、温度、压力继电器等。按用途可分为控制继电器和保护继电器。其中电磁式继电器应用最为广泛。

1.3.1　电磁式继电器的基本知识

1. 电磁式继电器的结构和工作原理

一般来说,继电器主要由测量环节、中间机构和执行机构三部分组成。继电器通过测量环节输入外部信号(比如电压、电流等电量或温度、压力、速度等非电量)并传递给中间机构,将它与设定值(即整定值)进行比较,当达到整定值时(过量或欠量),中间机构就使执行机构产生输出动作,从而闭合或分断电路,达到控制电路的目的。电磁式继电器是应用最早、最多的一种继电器,其结构和工作原理与接触器大体相似,其结构如图1－13所示。电磁式继电器由电磁系统、触头系统和释放弹簧等组成,由于继电器用于控制电路,流过触头的电流比较小(一般5 A以下),故不需要灭弧装置。

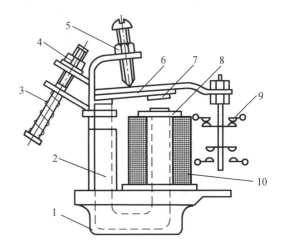

图1－13　电磁式继电器的典型结构

1—底座;2—铁芯;3—释放弹簧;4—调节螺母;
5—调节螺母;6—衔铁;7—非磁性垫片;
8—极靴;9—触头系统;10—线圈

2. 电磁式继电器的分类

电磁式继电器按用途不同分有控制继电器、保护继电器、通信继电器和安全继电器等;按输入信号不同分有电压继电器、电流继电器、时间继电器、速度继电器和温度继电器;按线圈电流种类不同分有交流继电器和直流继电器。

3. 电磁式继电器的特性及主要参数

(1)电磁式继电器的特性

继电器的特性是指继电器的输出量随输入量变化的关系,即输入－输出特性。电磁式继电器的特性就是电磁机构的继电特性,如图1－14所示。图中 x_0 为继电器的动作值(吸合值), x_r 为继电器的复归值(释放值),这两个值为继电器的动作参数。

（2）继电器的主要参数

①额定参数 继电器的线圈和触头在正常工作时允许的电压值或电流值称为继电器额定电压或额定电流。

②动作参数 即继电器的吸合值与释放值。对于电压继电器有吸合电压 U_o 与释放电压 U_r；对于电流继电器有吸合电流 I_o 与释放电 I_r。

③整定值 指根据控制要求,对继电器的动作参数进行人为调整的数值。

④返回参数 指继电器的释放值与

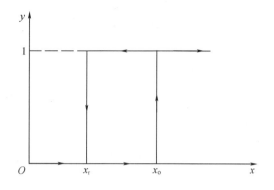

图1-14 电磁机构的继电特性曲线

吸合值的比值,用 K 表示。K 值可通过调节释放弹簧或调节铁芯与衔铁之间非磁性垫片的厚度来达到所要求的值。不同场合要求不同的 K 值,如对一般继电器要求具有低的返回系数,K 值应在 $0.1 \sim 0.4$ 之间,这样当继电器吸合后,输入量波动较大时不至于引起误动作;欠电压继电器则要求高的返回系数,K 值应在 0.6 以上。如一电压继电器 $K = 0.66$,吸合电压为额定电压的 90%,则释放电压为额定电压的 60% 时,继电器就释放,从而起到欠电压保护作用。返回系数反映了继电器吸力特性与反力特性配合的紧密程度,是电压和电流继电器的主要参数。

⑤动作时间 有吸合时间和释放时间两种。吸合时间是指从线圈接受电信号起,到衔铁完全吸合止所需的时间。释放时间是从线圈断电到衔铁完全释放所需的时间。一般电磁式继电器动作时间为 $0.05 \sim 0.2$ s,动作时间小于 0.05 s 为快速动作继电器,动作时间大于 0.2 s 为延时动作继电器。

1.3.2 电磁式电压继电器、电流继电器与中间继电器

电磁式继电器反应的是电信号。当线圈反应电压信号时,为电压继电器;当线圈反应电流信号时,为电流继电器。其在结构上的区别主要在线圈上,电压继电器的线圈匝数多、导线细,而电流继电器的线圈匝数少、导线粗。

1. 电磁式电压继电器

电磁式电压继电器线圈并接在电路电压上,用于反应电路电压大小。其触头的动作与线圈电压大小直接有关,在电力拖动控制系统中起电压保护和控制作用。按吸合电压相对其额定电压大小可分为过电压继电器和欠电压继电器。

过电压继电器在电路中用于过电压保护。当线圈为额定电压时,衔铁不吸合,当线圈电压高于其额定电压时,衔铁才吸合动作。当线圈所接电路电压降低到继电器释放电压时,衔铁才返回释放状态,相应触头也返回成原来状态。所以,过电压继电器释放值小于动作值,其电压返回系数 $K_v < 1$。规定当 $K_v > 0.65$ 时,称为高返回系数继电器。

由于直流电路一般不会出现过电压,所以产品中没有直流过电压继电器。交流过电压继电器吸合电压调节范围为 $U_o = (1.05 \sim 1.2)U_N$。

欠电压继电器在电路中用于欠电压保护。当线圈电压低于其额定电压值时衔铁吸合,而当线圈电压很低时衔铁才释放。一般直流欠电压继电器吸合电压 $U_o = (0.3 \sim 0.5)U_N$,释放电压 $U_r = (0.07 \sim 0.2)U_N$。交流欠电压继电器的吸合电压与释放电压的调节范围分别为

$U_{\text{o}} = (0.6 \sim 0.85) U_{\text{N}}$，$U_{\text{r}} = (0.1 \sim 0.35) U_{\text{N}}$。由此可见，欠电压继电器的返回系数 K_{v} 很小。

电压继电器的符号如图 1 – 15 所示。

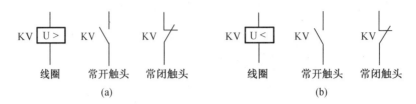

图 1 – 15　电压继电器的符号

(a)过电压继电器；(b)欠电压继电器

2. 电磁式电流继电器

电磁式电流继电器线圈串接在电路中，用来反应电路电流的大小，触头的动作与否与线圈电流大小有关。其按线圈电流种类有交流电流继电器与直流电流继电器之分；按吸合电流大小可分为过电流继电器和欠电流继电器。

过电流继电器正常工作时，线圈流过负载电流，即便是流过额定电流，衔铁仍处于释放状态，而不被吸合；当流过线圈的电流超过额定负载电流一定值时，衔铁才被吸合而动作，从而带动触头动作，其常闭触头断开，分断负载电路，起过电流保护作用。通常，交流过电流继电器的吸合电流 $I_{\text{o}} = (1.1 \sim 3.5) I_{\text{N}}$，直流过电流继电器的吸合电流 $I_{\text{o}} = (0.75 \sim 3) I_{\text{N}}$。由于过电流继电器在出现过电流时衔铁吸合动作，其触头切断电路，故过电流继电器无释放电流值。

欠电流继电器正常工作时，继电器线圈流过负载额定电流，衔铁吸合动作；当负载电流降低至继电器释放电流时，衔铁释放，带动触头动作。欠电流继电器在电路中起欠电流保护作用，所以常用欠电流继电器的常开触头接于电路中，当继电器欠电流释放时，常开触头用来断开电路起保护作用。在直流电路中，由于某种原因而引起负载电流的降低或消失，往往会导致严重的后果，如直流电动机的励磁回路电流过小会使电动机发生超速，带来危险。因此在电器产品中有直流欠电流继电器，对于交流电路则无欠电流保护，也就没有交流欠电流继电器了。直流欠电流继电器的吸合电流与释放电流调节范围分别为 $I_{\text{o}} = (0.3 \sim 0.65) I_{\text{N}}$ 和 $I_{\text{r}} = (0.1 \sim 0.2) I_{\text{N}}$。电流继电器的符号如图 1 – 16 所示。

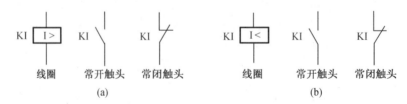

图 1 – 16　电流继电器的符号

(a)过电流继电器；(b)欠电流继电器

3. 电磁式中间继电器

电磁式中间继电器实质上是一种电磁式电压继电器，其特点是触头数量较多，在电路中起增加触头数量和中间放大作用。由于中间继电器只要求线圈电压为零时能可靠释放，对动作参数无要求,故中间继电器没有调节装置。按电磁式中间继电器线圈电压种类不同,又有直流中间继电器和交流中间继电器两种。有的电磁式直流继电器,更换不同电磁线圈时便可成为直流电压、直流电流及直流中间继电器,若在铁芯柱上套有阻尼套筒,又可成为电磁式时间继电器。因此,这类继电器具有"通用"性,又称为通用继电器。中间继电器的符号如图 1 – 17 所示。

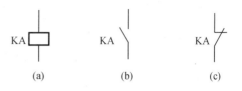

图 1 – 17　中间继电器符号
(a)线圈;(b)常开触头;(c)常闭触头

4. 常用典型电磁式继电器简介

直流电磁式通用继电器常用的有 JT3、JT9、JT10、JT18 等系列。

电磁式中间继电器常用的有 JZ7、JDZ2、JZ14 等系列。

电磁式交、直流电流继电器常用的有 JL3、JL14、JL15 等系列。

5. 电磁式继电器的选用

(1)使用类别的选用　继电器的典型用途是控制接触器的线圈,即控制交、直流电磁铁。按规定,继电器使用类别有:AC—11 控制交流电磁铁负载和 DC—11 控制直流电磁铁负载两种。

(2)额定工作电流与额定工作电压的选用　继电器在对应使用类别下,继电器的最高工作电压为继电器的额定绝缘电压,继电器的最高工作电流应小于继电器的额定发热电流。选用继电器电压线圈的电压种类与额定电压值时,应与系统电压种类与电压值一致。

(3)工作制的选用　继电器工作制应与其使用场合工作制一致,且实际操作频率应低于继电器额定操作频率。

(4)继电器返回系数的调节　应根据控制要求来调节电压和电流继电器的返回系数。一般采用增加衔铁吸合后的气隙、减小衔铁打开后的气隙或适当放松释放弹簧等措施来达到增大返回系数的目的。

1.3.3　时间继电器

继电器输入信号后,经一定的延时,才有输出信号的继电器称为时间继电器。对于电磁式时间继电器,当电磁线圈通电或断电后,经一段时间,延时触头状态才发生变化,即延时触头才动作。时间继电器种类很多,常用的有电磁阻尼式、空气阻尼式、电动机式和电子式等。按延时方式可分为通电延时型和断电延时型。通电延时型继电器当接受输入信号后延迟一定时间,输出信号才发生变化;当输入信号消失后,输出瞬时复原。断电延时型继电器当接受输入信号后,瞬时产生相应的输出信号,当输入信号消失后,延迟一定时间,输出信号才复原。这里仅介绍利用电磁原理工作的直流电磁式时间继电器、空气阻尼式时间继电器和晶体管时间继电器。

1. 直流电磁式时间继电器

直流电磁式时间继电器是在电磁式电压继电器铁芯上套个阻尼铜套,如图 1 – 18 所示。当电磁线圈接通电源时,在阻尼套筒内产生感应电动势,流过感应电流。在感应电流作用下产生的磁通阻碍穿过铜套内的原磁通变化,因而对原磁通起阻尼作用,使磁路中的原磁通增加缓慢,使达到吸合磁通值的时间加长,衔铁吸合时间后延,触头也延时动作。由于电磁线圈通电前,衔铁处于打开位置,磁路气隙大,磁阻大,磁通小,阻尼套筒作用也小,因此衔铁吸合时的延时只有 0.1～0.5 s，延时作用可不计。但当衔铁已处于吸合位置，在切断电磁线圈直流电源时，因磁路气隙小，磁阻小，磁通变化大，铜套的阻尼作用大，使电磁线圈断电后衔铁延时释放，相应触头延时动作，线圈断电获得的延时可达 0.3～5 s。直流电磁式时间继电器延时时间的长短可通过改变铁芯与衔铁间非磁性垫片的厚薄(粗调)或改变释放弹簧的松紧(细调)来调节。垫片厚则延时短，垫片薄则延时长；释放弹簧紧则延时短，释放弹簧松则延时长。

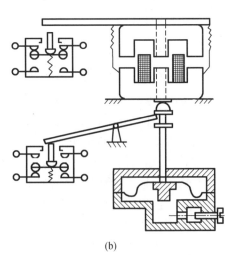

图 1-18　直流电磁式时间继电器

1—阻尼套筒；2—释放弹簧；
3—调节螺钉；4—调节螺钉；5—衔铁；
6—非磁性垫片；7—电磁线圈

直流电磁式时间继电器具有结构简单、寿命长、允许通电次数多等优点，但其仅适用于直流电路，若用于交流电路需加整流装置；仅能获得断电延时，且延时时间短，延时精度不高。

2. 空气阻尼式时间继电器

空气阻尼式时间继电器由电磁机构、延时机构和触头系统三部分组成，它是利用空气阻尼原理达到延时的目的。其延时方式有通电延时型和断电延时型两种。其外观区别在于：当衔铁位于铁芯和延时机构之间时为通电延时型；当铁芯位于衔铁和延时机构之间时为断电延时型。

图 1-19 为 JS7—A 系列空气阻尼式时间继电器结构原理图。通电延时型时间继电器的工作原理：当线圈 1 通电后，衔铁 3 吸合，活塞杆 6 在塔形弹簧 7 作用下带动活塞 13 及橡皮膜 9 向上移动，橡皮膜下方空气室空气变得稀薄，形成负压，活塞杆只能缓慢移动，其移动速度由进气孔气隙大小决定。经一段延时后，活塞杆通过杠杆 15 压动微动开关 14，使其触头动作，起到通电延时作用。当线圈断电时，衔铁释放，橡皮膜下方空气室内的空气通过活

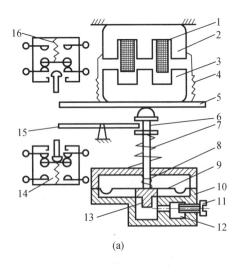

图 1-19　JS7—A 系列空气阻尼式时间继电器结构原理图

(a)通电延时型；(b)断电延时型

1—线圈；2—铁芯；3—衔铁；4—反力弹簧；5—推板；6—活塞杆；7—塔形弹簧；8—弱弹簧；9—橡皮膜；
10—空气室壁；11—调节螺钉；12—进气孔；13—活塞；14、16—微动开关；15—杠杆

塞肩部所形成的单向阀迅速排出，使活塞杆、杠杆、微动开关迅速复位。由线圈通电至触头动作的一段时间即为时间继电器的延时时间，延时长短可通过调节螺钉11来调节进气孔气隙大小来改变。微动开关16在线圈通电或断电时，在推板5的作用下都能瞬时动作，其触头为时间继电器的瞬动触头。

空气阻尼式时间继电器延时时间有 0.4～180 s 和 0.4～60 s 两种规格，具有延时范围较宽、结构简单、价格低廉、工作可靠、寿命长等优点，是机床电气控制线路中常用的时间继电器。但其延时精度较低，没有调节指示，适用于延时精度要求不高的场合。

3. 晶体管时间继电器

晶体管时间继电器又称为半导体式时间继电器或电子式时间继电器。晶体管时间继电器除执行继电器外，均由电子元件组成，没有机械部件，因而具有较长的寿命和较高精度、体积小、延时范围大、调节范围宽、控制功率小等优点。

晶体管时间继电器按构成原理分为阻容式和数字式，按延时方式分为通电延时型、断电延时型和带瞬动触头的通电延时型。下面以具有代表性的 JS20 系列为例，介绍晶体管时间继电器的结构和工作原理。

JS20 系列时间继电器采用插座式结构，所有元器件均装在印制电路板上，然后用螺钉使之与插座紧固，再装入塑料罩壳，组成本体部分。在罩壳顶面装有铭牌和整定电位器的旋钮。铭牌上有该时间继电器最大延时时间的十等分刻度。使用时旋动旋钮即可调整延时时间。有指示灯，当继电器吸合后指示灯亮。外接式的整定电位器不装在继电器的本体内，而用导线引接到所需的控制板上。安装方式有装置式和面板式两种。装置式备有带接线端子的胶木底座，它与继电器本体部分采用插接连接，并用扣攀锁紧，以防松动；面板式可直接把时间继电器安装在控制台的面板上，它与装置式的结构大体相同，只是采用8脚插座代替装置式的胶木底座。JS20 系列晶体管时间继电器所采用的电路有单结晶体管电路和场效应管电路两类。JS20 系列晶体管时间继电器有通电延时型、断电延时型和带瞬动触头的通电延时型三种。延时等级对于通电延时型分为 1 s，5 s，10 s，30 s，60 s，120 s，180 s，300 s，600 s，1 800 s，3 600 s；断电延时型分为 1 s，5 s，10 s，30 s，60 s，120 s，180 s 等。图 1 - 20 为采用场效应管 JS20 系列通电延时继电器电路图，它由稳压电源、RC 充放电电路、电压鉴别电路、输出电路和指示电路等部分组成。

电路工作原理：接通交流电源，经整流、滤波和稳压后，直流电压经波段开关上的电阻 R_{10}，RP_1，R_2 向电容 C_2 充电。开始时 V_6 场效应晶体管截止，晶体管 V_7、晶闸管 VT 也处于截止状态。随着充电的进行，电容器 C_2 上的电压由零按指数曲线上升，直至 U_C 上升到 $|U_C - U_S| < |U_P|$ 时 V_7 导通。这是由于 I_D 在 R_3 上产生电压降，D 点电位开始下降，一旦 D 点电位降低到 V_7 的发射极电位以下时，V_7 导通。V_7 的集电极电流 I_C 在 R_4 上产生压降，使场效应晶体管的 U_S 降低，即负栅偏压越来越小。所以对 V_6 来说，R_4 起正反馈作用，使 V_7 导通，并触发晶闸管 VT 使它导通，同时使继电器 KA 动作，输出延时信号。从时间继电器接通电源，C_2 开始被充电到 KA 动作这段时间即为通电延时动作时间。KA 动作后，C_2 经 KA 常开触头对电阻 R_9 放电，同时氖泡 Ne 指示灯起辉，并使场效应晶体管 V_6 和晶体管 V_7 都截止，为下次工作做准备。但此时晶闸管 VT 仍保持导通，除非切断电源，使电路恢复到原来状态，继电器 KA 才释放。时间继电器的符号如图 1 - 21 所示。

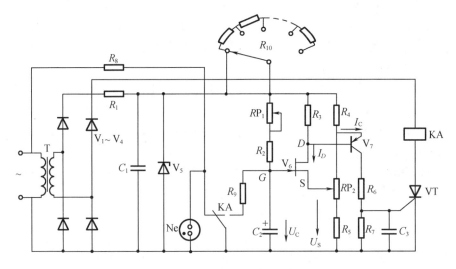

图 1-20　JS20 系列通电延时型继电器电路图

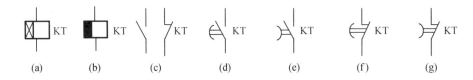

图 1-21　时间继电器符号

(a)通电延时型线圈;(b)断电延时型线圈;(c)瞬动触头;
(d)通电延时闭合的常开(动合)触头;(e)断电延时断开的常开(动合)触头;
(f)通电延时断开的常闭(动断)触头;(g)断电延时闭合的常闭(动断)触头

JS20 系列晶体管时间继电器型号含义:

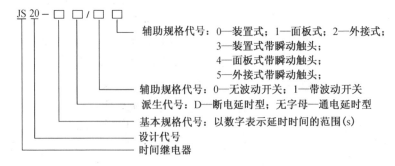

4. 时间继电器的选用

(1)根据控制电路的控制要求选择时间继电器的延时类型。

(2)根据对延时精度要求不同选择时间继电器的类型。对延时精度要求不高的场合,一般选用电磁式或空气阻尼式时间继电器;对延时精度要求高的场合,应选用晶体管式或电动机式时间继电器。

(3)应考虑环境温度变化的影响。在环境温度变化较大的场合,不宜采用晶体管式时间继电器。

(4)应考虑电源参数变化的影响。对于电源电压波动大的场合,选用空气阻尼式比采用晶体管式好;而在电源频率波动大的场合,不宜采用电动机式时间继电器。

(5)考虑延时触头种类、数量和瞬动触头种类、数量是否满足控制要求。

1.3.4　热继电器

热继电器是利用电流流过发热元件产生热量来使检测元件受热弯曲,进而推动机构动作的一种保护电器。由于发热元件具有热惯性,在电路中不能用于瞬时过载保护,更不能做短路保护,主要用作电动机的长期过载保护。在电力拖动控制系统中应用最广的是双金属片式热继电器。

1. 电气控制对热继电器性能的要求

(1)应具有合理可靠的保护特性　热继电器主要用作电动机的长期过载保护,电动机的过载特性是一条反时限特性曲线,如图 1-22 所示,为适应电动机的过载特性,又能起到过载保护作用,则要求热继电器具有形同电动机过载特性的反时限特性。这条特性是流过热继电器发热元件的电流与热继电器触头动作时间的关系曲线,称为热继电器的保护特性,如图 1-22 中曲线 2 所示。考虑各种误差的影响,电动机的过载特性与热继电器的保护特性是一条曲带,误差越大,带越宽。从安全角度出发,热继电器的保护特性应处于电

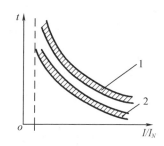

图 1-22　热继电器保护特性与
电动机过载特性的配合曲线
1—电动机的过载特性;
2—热继电器的保护特性

动机过载特性下方并相邻近。这样,当发生过载时,热继电器就在电动机未达到其允许过载之前动作,切断电动机电源,实现过载保护。

(2)具有一定的温度补偿　当环境温度变化时,热继电器检测元件受热弯曲存在误差,为补偿由于温度引起的误差,应具有温度补偿装置。

(3)热继电器动作电流可以方便地调节　为减少热继电器热元件的规格,热继电器动作电流可在热元件额定电流 66% ~100% 范围内调节。

(4)具有手动复位与自动复位功能　热继电器动作后,可在 2 min 内按下手动复位按钮进行复位,也可在 5 min 内可靠地自动复位。

2. 双金属片热继电器的结构及工作原理

双金属片热继电器主要由热元件、主双金属片、触头系统、动作机构、复位按钮、电流整定装置和温度补偿元件等部分组成,如图 1-23 所示。双金属片是热继电器的感测元件,它是将两种线胀系数不同的金属片以机械辗压的方式使其形成一体,线胀系数大的称为主动片,线胀系数小的称为被动片。而环绕其上的电阻丝串接于电动机定子电路中,流过电动机定子线电流,反映电动机过载情况。电流的热效应,使双金属片变热产生线膨胀,于是双金属片向被动片一侧弯曲。当电动机正常运行时,热元件产生的热量虽能使双金属片弯曲,但还不足以使热继电器的触头动作;只有当电动机长期过载时,过载电流流过热元件,使双金属片弯曲位移增大,经一定时间后,双金属片弯曲到推动导板 3,并通过补偿双金属片 4 与推杆 6 将触头 7 与 8 分开,此常闭触头串接于接触器线圈电路中,触头分开后,接触

器线圈断电,接触器主触头断开,切断电动机定子绕组电源,实现电动机的过载保护。调节凸轮10用来改变补偿双金属片与导板间的距离,达到调节整定动作电流的目的。此外,调节复位螺钉5来改变常开触头的位置,使继电器工作在手动复位或自动复位两种工作状态。调试手动复位时,在故障排除后需按下复位按钮9才能使常闭触头闭合。补偿双金属片可在规定范围内补偿环境温度对热继电器的影响。当环境温度变化时,主双金属片与补偿双金属片同时向同一方向弯曲,使导板与补偿双金属片之间的推动距离保持不变。这样,继电器的动作特性将不受环境温度变化的影响。

3. 具有断相保护的热继电器

三相感应电动机运行时,若发生一相断路,流过电动机各相绕组的电流将发生变化,其变化情况将与电动机三相绕组的接法有关。如果热继电器保护的三相电动机是星形接法,当发生一相断路时,另外两相线电流增加很多,由于此时线电流等于相电流,而流过电动机绕组的电流就是流过热继电器热元件的电流,因此,采用普通的两相或三相热继电器就可实现过载保护。如果电动机是三角形联结,在正常情况下,线电流是相电流的$\sqrt{3}$倍,串接在电动机电源进线中的热元件按电动机额定电流即线电流来整定。当发生一相断路时,见图1-24所示电路,当电动机仅为0.58倍额定负载时,流过跨接于全电压下的一相绕组的相电流I_{p3}等于1.15倍额定相电流,而流过两相绕组串联的电流$I_{p1} = I_{p2}$,仅为0.58倍的额定相电流。此时未断相的那两相线电流正好为额定线电流,接在电动机进线中的热元件因流过额定线电流,热继电器不动作,但流过全压下的一相绕组已流过1.15倍额定相电流,时间一长便有过热烧毁的危险。所以三角形接法的电动机必须采用带断相保护的热继电器来对电动机进行长期过载保护。

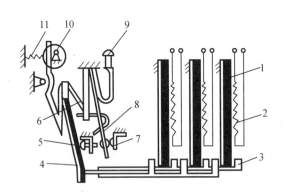

图1-23　双金属片式热继电器结构原理图

1—主双金属片;2—电阻丝;3—导板;
4—补偿双金属片;5—螺钉;6—推杆;
7—静触头;8—动触头;9—复位按钮;
10—调节凸轮;11—弹簧

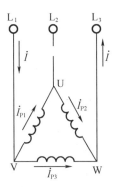

图1-24　电动机三角形
联结时U相断线时的
电流分析

带有断相保护的热继电器是将热继电器的导板改成差动机构。如图1-25所示。差动机构由上导板1、下导板2及装有顶头4的杠杆3组成,它们之间均用转轴连接。其中,图1-25(a)为未通电时导板的位置;图1-25(b)为热元件流过正常工作电流时的位置,此时三相双金属片都受热向左弯曲,但弯曲的挠度不够,所以下导板向左移动一小段距离,顶头

4 尚未碰到补偿双金属片 5,继电器不动作;图 1-25(c)为电动机三相同时过载的情况,三相双金属片同时向左弯曲,推动下导板向左移动,通过杠杆 3 使顶头 4 碰到补偿双金属片端部,使继电器动作;图 1-25(d)为 W 相断路时的情况,这时 W 相双金属片将冷却,端部向右弯曲,推动上导板向右移,而另外两相双金属片仍受热,端部向左弯曲推动下导板继续向左移动。这样上、下导板的一右一左移动,产生了差动作用,通过杠杆的放大作用,迅速推动补偿双金属片,继电器动作。差动作用使继电器在断相故障时加速动作,保护电动机。

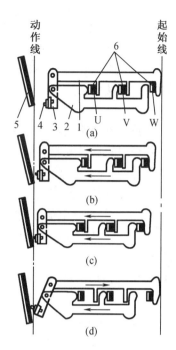

图 1-25 差动式断相保护机构及工作原理

(a)通电前;(b)三相正常电流;
(c)三相均匀过载;(d)W 相断路
1—上导板;2—下导板;
3—杠杆;4—顶头;
5—补偿双金属片;6—主双金属片

4. 热继电器典型产品及主要技术参数

常用的热继电器有 JR20,JRS1,JR36,JR21,3UA5、6,LR1-D,T 系列。后四种是引入国外技术生产的。JR20 系列具有断相保护、温度补偿、整定电流值可调、手动脱扣、自动复位、动作后的信号指示等作用。根据它与交流接触器的安装方式不同有分立结构和组合式结构,可通过导电杆与挂钩直接插接,并电气连接在 CJ20 接触器上。引进的 T 系列热继电器常与 B 系列接触器组合成电磁启动器。

热继电器的主要技术参数有:额定电压、额定电流、相数、发热元件规格、整定电流和刻度电流调节范围等。热继电器的符号如图 1-26 所示。

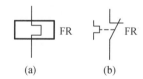

(a)　　　　　　　(b)

图 1-26 热继电器的符号

(a)热元件;(b)常闭触头

JR20 系列热继电器型号含义如下:

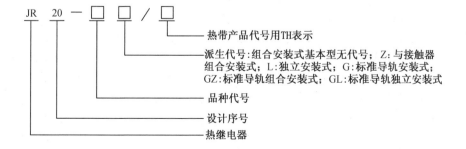

JR 20 - □ □ / □

热带产品代号用TH表示

派生代号:组合安装式基本型无代号;Z:与接触器组合安装式;L:独立安装式;G:标准导轨安装式;GZ:标准导轨组合安装式;GL:标准导轨独立安装式

品种代号

设计序号

热继电器

5.热继电器的选用

热继电器主要用于电动机的过载保护。热继电器选用时应根据使用条件、工作环境、电动机型式及其运行条件及要求,电动机启动情况及负荷情况综合考虑。

(1)热继电器有三种安装方式,即独立安装式(通过螺钉固定)、导轨安装式(在标准导轨上安装)和插接安装式(直接挂接在与其配套的接触器上)。应按实际安装情况选择其安装方式。

(2)原则上热继电器的额定电流应按电动机的额定电流选择。但对于过载能力较差的电动机,其配用的热继电器的额定电流应适当小些,通常选取热继电器的额定电流(实际上是选取热元件的额定电流)为电动机额定电流的60% ~80%。

(3)在不频繁启动的场合,要保证热继电器在电动机启动过程中不产生误动作。当电动机启动电流为其额定电流6倍及以下,启动时间不超过5 s时,若很少连续启动,可按电动机额定电流选用热继电器。当电动机启动时间较长,就不宜采用热继电器,而采用过电流继电器做保护。

(4)对于三角形联结电动机,应选用带断相保护装置的热继电器。

(5)当电动机工作于重复短时工作制时,要注意确定热继电器的允许操作频率。因为热继电器的操作频率是很有限的,操作频率较高时,热继电器的动作特性会变差,甚至不能正常工作。对于频繁正反转和频繁通断的电动机,不宜采用热继电器做保护,可选用埋入电动机绕组的温度继电器或热敏电阻来保护。

1.3.5　速度继电器

速度继电器是将电动机的转速信号经电磁感应原理来控制触头动作的电器。它主要用于将转速的快慢转换成电路通断信号,与接触器配合完成对电动机反接制动控制,亦称为反接制动继电器。其结构主要由定子、转子和触头系统三部分组成,定子是一个笼型空心圆环,由硅钢片叠成,并嵌有笼型导条,转子是一个圆柱形永久磁铁,触头系统有正向运转时动作的和反向运转时动作的触头各一组,每组又各有一对常闭和一对常开触头,如图1 - 27所示。使用时,继电器转子的轴10与电动机轴相连接,定子空套在转子外围。当电动机启动旋转时,继电器的转子11随着转动,永久磁铁的静止磁场就成了旋转磁场。定子9内的笼型导条8因切割磁场而产生感应电势,形成感应电流,并在磁场作用下产生电磁转矩,使定子随转子旋转方向转动,但因有返回杠杆6挡住,故定子只能随转子旋转方向做一偏转。当定子偏转到一定角度时,在杠杆7的作用下使常闭触头断开而常开触头闭合。在杠杆7推动触头的同时也压缩相应的反力弹簧2,其反作用力阻止定子偏转。当电动机转速下降时,继电器转子转速也随之下降,定子导条中的感应电势、感应电流、电磁转矩均减小。当继电器转子转速下降到一定值时,电磁转矩小于反力弹簧的反作用力矩时,定子返回原位,继电器触头恢复到原来状态。调节螺钉1的松紧,可调节反力弹簧的反作用力大小,也就调节了触头动作所需的转子转速。一般速度继电器触头的动作转速为140 r/min左右,触头的复位转速为100 r/min。当电动机正向运转时,定子偏转使正向常开触头闭合,常闭触头断开,同时接通与断开与它们相连的电路;当正向旋转速度接近零时,定子复位,使常开触头断开,常闭触头闭合,同时与其相连的电路也改变状态。当电动机反向运转时,定子向反方向偏转,使反向动作触头动作,情况与正向时相同。常用的速度继电器有JY1和JFZ0系列。JY1系列可在700 ~3 600 r/min范围内可靠地工作。JFZ0—1型适用于300

~1 000 r/min;JFZ0—2 型适用于 1 000 ~ 3 600 r/min,它们具有两对常开、常闭触头,触头额定电压为 380 V,额定电流为 2 A。速度继电器的选择主要根据电动机的额定转速、控制要求来选择。常见速度继电器的故障是电动机停车时不能制动停转,其原因可能是触头接触不良或摆锤断裂,导致无论转子怎样转动触头都不动作。此时,更换摆锤或触头即可。

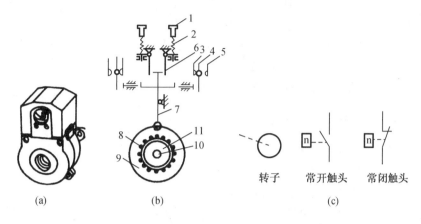

图 1 - 27　速度继电器外形、结构和符号图

(a)外形;(b)结构;(c)符号

1—螺钉;2—反力弹簧;3—常闭触头;4—动触头;5—常开触头;
6—返回杠杆;7—杠杆;8—定子导条;9—定子;10—转轴;11—转子

典型任务 4　熔断器的选用

熔断器是一种当电流超过规定值一定时间后,以它本身产生的热量使熔体熔化而分断电路的电器。广泛应用于低压配电系统和控制系统及用电设备中做短路和过电流保护。

1.4.1　熔断器的结构及工作原理

熔断器主要由熔体、熔断管(座)、填料及导电部件等组成。熔体是熔断器的主要部分,常做成丝状、片状、带状或笼状。其材料有两类:一类为低熔点材料,如铅、锡的合金,锑、铝合金,锌等;另一类为高熔点材料,如银、铜、铝等。熔断器接入电路时,熔体串接在电路中,负载电流流经熔体,当电路发生短路或过电流时,通过熔体的电流使其发热,当达到熔体金属熔化温度时就会自行熔断,期间伴随着燃弧和熄弧过程,随之切断故障电路,起到保护作用。当电路正常工作时,熔体在额定电流下不应熔断,所以其最小熔化电流必须大于额定电流。目前广泛应用的填料是石英砂,它既是灭弧介质又能起到帮助熔体散热的作用。

1.4.2　熔断器的保护特性

熔断器的保护特性是指流过熔体的电流与熔体熔断时间的关系曲线,称“时间 - 电流特性”曲线或称“安 - 秒特性”曲线,如图 1 - 28 所示。图中 $I_{\min}$ 为最小熔化电流或称临界电流,当熔体电流小于临界电流时,熔体不会熔断。最小熔化电流 $I_{\min}$ 与熔体额定电流 I_N 之比称为熔断器的熔化系数,即 $K = I_{\min}/I_N$,当 K 小时对小倍数过载保护有利,但 K 也不宜接近于 1,当 K 为 1 时,不仅熔体在 I_N 下工作温度会过高,而且还有可能因保护特性本身的误差

而发生熔体在 I_N 下也熔断的现象,影响熔断器工作的可靠性。当熔体采用低熔点的金属材料时,熔化时所需热量少,故熔化系数小,有利于过载保护;但材料电阻系数较大,熔体截面积大,熔断时产生的金属蒸气较多,不利于熄弧,故分断能力较低。当熔体采用高熔点的金属材料时,熔化时所需热量大,故熔化系数大,不利于过载保护,而且可能使熔断器过热;但这些材料的电阻系数低,熔体截面小,有利于熄弧,故分断能力高。因此,不同熔体材料的熔断器在电路中保护作用的侧重点是不同的。

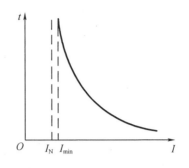

图 1 - 28　熔断器的保护特性曲线

1.4.3　熔断器的主要技术参数及典型产品

1. 熔断器的主要技术参数

(1)额定电压　这是从灭弧的角度出发,熔断器长期工作时和分断后能承受的电压。其值一般大于或等于所接电路的额定电压。

(2)额定电流　熔断器长期工作,各部件温升不超过允许温升的最大工作电流。熔断器的额定电流有两种,一种是熔管额定电流,也称为熔断器额定电流,另一种是熔体的额定电流。厂家为减少熔管额定电流的规格,熔管额定电流等级较少,而熔体额定电流等级较多,在一种电流规格的熔管内可安装几种电流规格的熔体,但熔体的额定电流最大不能超过熔管的额定电流。

(3)极限分断能力　熔断器在规定的额定电压和功率因数(或时间常数)条件下,能可靠分断的最大短路电流。

(4)熔断电流　通过熔体并使其熔化的最小电流。

2. 熔断器的典型产品

熔断器的种类很多,按结构来分有半封闭瓷插式(RC)、螺旋式(RL)、无填料密封管式(RM)和有填料密封管式(RT),如图 1 - 29 所示。按用途分有一般工业用熔断器、半导体保护用快速熔断器和特殊熔断器。典型产品有 RL6、RL7、RL96、RLS2 系列螺旋式熔断器,RLlB 系列带断相保护螺旋式熔断器,RT18、RT18 - □X 系列熔断器以及 RT14 系列有填料密封管式熔断器。此外,还有引进国外技术生产的 NT 系列有填料封闭式刀型触头熔断器与 NGT 系列半导体器件保护用熔断器等。

图 1 - 30 为 RL6、RL7 螺旋式熔断器结构示意图。

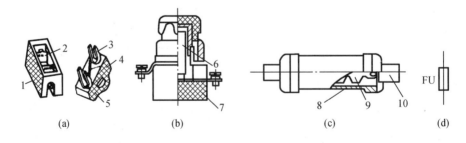

(a)　　　　　　　(b)　　　　　　　(c)　　　　　　(d)

图 1 - 29　常用熔断器结构图及符号

(a)瓷插式;(b)有填料螺旋式;(c)无填料密闭式;(d)符号

1—瓷底座;2—石棉垫;3—动触头;4—熔丝;5—瓷插件;6、9—熔体;7—底座;8—熔管;10—触刀

RL 系列型号含义：

RL □ — □ 额定电流
　　设计序号
　　螺旋式熔断器

1.4.4　熔断器的选用

熔断器的选择主要是选择熔断器的类型、熔断器额定电压、额定电流和熔体额定电流。

1. 熔断器类型的选择

主要根据负载的保护特性和短路电流大小。用于保护照明电路和电动机的熔断器，一般考虑它们的过载保护，要求熔断器的熔化系数适当小些。对于大容量的照明线路和电动机，除过载保护外，还应考虑短路时的分断短路电流能力。

2. 熔断器额定电压的选择

熔断器的额定电压应大于或等于所接电路的额定电压。

3. 熔体、熔断器额定电流的选择

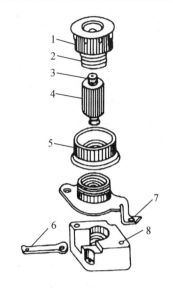

图 1-30　螺旋式熔断器结构示意图
1—瓷帽；2—金属螺管；3—指示器；
4—熔管；5—瓷管；6—下接线端；
7—上接线端；8—瓷座

熔体额定电流大小与负载大小、负载性质有关。对于负载平稳无冲击电流的照明电路、电热电路等可按负载电流大小来确定熔体的额定电流；对于有冲击电流的电动机负载，为起到短路保护作用，又保证电动机的正常启动，对三相笼型电动机其熔断器熔体的额定电流为：对一台不经常启动且启动时间不长的电动机的短路保护，熔体的额定电流 I_{MN} 应大于或等于 1.5～2.5 倍电动机额定电流 I_{MN}，即 $I_{RN} \geqslant (1.5 \sim 2.5)I_{MN}$。对于频繁启动或启动时间较长的电动机，其系数应增加到 3～3.5。对多台电动机的短路保护，熔体的额定电流应等于或大于其中最大容量电动机的额定电流 I_{MNmax} 的 (1.5～2.5) 倍，再加上其余电动机额定电流的总和 $\sum I_{MN}$，即

$$I_{RN} \geqslant (1.5 \sim 2.5)I_{MNmax} + \sum I_{MN}$$

上式中各电流的单位均为 A。对轻载启动或启动时间较短时，式中系数取 1.5；重载启动或启动时间较长时，系数取 2.5。

当熔体额定电流确定后。根据熔断器额定电流大于或等于熔体额定电流来确定熔断器额定电流。

典型任务 5　低压开关和低压断路器的选用

1.5.1　低压开关

低压开关又称低压隔离器，是低压电器中结构比较简单、应用广泛的一类手动电器。主要有刀开关、组合开关，以及用刀开关与熔断器组合成的胶盖瓷底刀开关和熔断器式刀

开关,还有转换开关等。以下仅介绍 HK2 系列胶盖瓷底刀开关、HR5 系列熔断器刀开关与 HZ5 系列普通型组合开关。

1. HK2 系列胶盖瓷底刀开关

HK2 系列胶盖瓷底刀开关用作电路的隔离开关、小容量电路的电源开关和小容量电动机非频繁启动的操作开关。由熔丝,触刀,触头座,操作手柄,底座及上、下胶盖等组成。使用时进线座接电源端的进线,出线座接负载端导线,靠触刀与触点座的分合来接通和断开电路。HK 系列型号含义如下:

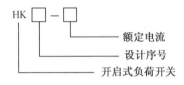

HK □ - □
额定电流
设计序号
开启式负荷开关

2. HR5 系列熔断器式刀开关

HR5 系列熔断器式刀开关用于有大短路电流的配电网络和电动机电路。用作电源开关、隔离开关,并可做短路保护。其主要由触头系统、熔体、灭弧室、底座、塑料防护盖等组成。刀开关还具有弹簧储能快速关合机构及指示熔体通断的信号装置。其熔断器带有撞击器时,任一相熔体熔断后,撞击器弹出,通过横杆触动装在底板的微动开关,发出信号或切断接触器线圈电路,实现缺相保护。HR5 系列型号含义如下:

HR 5 - □ / □ □
0:无熔断信号装置型;1:有熔断信号装置型
极数
约定电流发热值
设计序号
熔断器式刀开关

3. HZ5 系列普通型组合开关

组合开关是由若干动触片和静触片分别装于数层绝缘件内组成,动触片安装在附有手柄的转轴上,可随转轴转动,实现动、静触片的分合。在组合开关上方安装有由滑板、凸轮、扭簧及手柄等部件构成的操作机构,由于该机构采用了扭簧储能,故可实现开关的快速闭合与分断,从而使触头闭合及分断速度与手柄操作速度无关。HZ5 系列普通型组合开关适用于电压 380 V 及以下,额定电流 60 A 及以下电路,用作电源开关、控制电路的换接或对电动机启动、变速、停止及换向等。HZ5 系列型号含义如下:

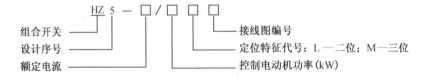

HZ 5 - □ / □ □ □
组合开关
设计序号
额定电流
控制电动机功率(kW)
定位特征代号:L—二位;M—三位
接线图编号

4. 刀开关的选用和安装

选用刀开关时首先根据刀开关的用途和安装位置选择合适的型号和操作方式,然后根据控制对象的类型和大小,计算出相应负载电流大小,选择相应级额定电流的刀开关。刀开关在安装时必须垂直安装,使闭合操作时的手柄操作方向从下向上合,不允许平装或倒装,以防误合闸;电源进线应接在静触头一边的进线座,负载接在动触头一边的出线座;在分闸和合闸操作时,应动作迅速,使电弧尽快熄灭。

刀开关和带熔断器刀开关的符号如图 1 - 31、1 - 32 所示。

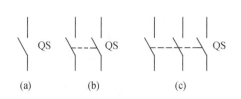

图 1 - 31　刀开关
(a)单极;(b)双极;(c)三极

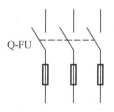

图 1 - 32　带熔断器的刀开关

1.5.2　低压断路器

低压断路器又称自动空气开关,是一种既有手动开关作用又能自动进行欠电压、失电压、过载和短路保护的开关电器。低压断路器种类较多,按用途分有保护电动机用、保护配电线路用及保护照明线路用三种。按结构型式分有框架式和塑壳式两种。按极数分有单极、双极、三极和四极断路器四种。

1. 低压断路器的结构和工作原理

低压断路器由触头系统、灭弧装置、各种脱扣器、自由脱扣机构和操作机构等部分组成。

(1)触头系统　分主触头和辅助触头,主触头由耐弧合金制成,是断路器的执行元件,用来接通和分断主电路,为提高其分断能力,主触头上装有灭弧装置。另有常开、常闭辅助触头各一对,用于发出低压断路器接通或分断的指令。

(2)灭弧装置　有相互绝缘的镀铜钢片组成的灭弧栅片,便于在切断短路电流时,加速灭弧和提高断流能力。

(3)脱扣器　脱扣器是断路器的感测元件,当电路出现故障时,脱扣器感测到故障信号后,经自由脱扣使断路器主触头分断,从而起到保护作用。按接受故障不同,有以下几种脱扣器:

①分励脱扣器。用于远距离使断路器断开电路的脱扣器,其实质是一个电磁铁,当需要断开电路时,操作人员按下跳闸按钮,分励电磁铁线圈通电,衔铁动作,使断路器跳闸切断电路。它只适用于远距离控制跳闸,对电路不起保护作用。当在工作场所发生人身触电事故时,可供远距离切断电源,进行保护。

②欠电压、失电压脱扣器。这是一个具有电压线圈的电磁机构,其线圈并接在主电路中。当主电路电压消失或降至一定值以下时,电磁吸力不足以继续吸持衔铁,在反力作用下,衔铁释放,衔铁顶板推动自由脱扣机构,将断路器主触头断开,实现欠电压与失电压保护。

③过电流脱扣器。其实质是一个电流线圈的电磁机构,电磁线圈串接在主电路中,流过负载电流。当正常电流通过时,产生的电磁吸力不足以克服反力,衔铁不被吸合;当电路出现瞬时过电流或短路电流时,吸力大于反力,使衔铁吸合并带动自由脱扣机构使断路器主触头断开,实现过电流与短路电流保护。

④热脱扣器。该脱扣器由热元件、双金属片组成,将双金属片热元件串接在主电路中,其工作原理与双金属片式热继电器相同。当过载到一定值时,由于温度升高,双金属片受热弯曲并带动自由脱扣机构,使断路器主触头断开,实现长期过载保护。

（4）自由脱扣机构和操作机构　自由脱扣机构是用来联系操作机构和主触头的机构,操作机构处于闭合位置时,也可操作分励脱扣机构进行脱扣,将主触头断开。操作机构是实现断路器闭合、断开的机构。通常电力拖动控制系统中的断路器采用手动操作机构,低压配电系统中的断路器有电磁铁操作机构和电动机操作机构两种。低压断路器的工作原理如图1-33所示。

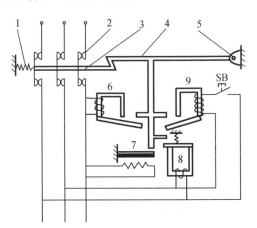

图中是一个三极低压断路器,三个主触头串接于三相电路中。经操作机构将其闭合,此时传动杆3由锁扣4钩住,保持主触头的闭合状态,同时分闸弹簧1已被拉伸。当主电路出现过电流故障且达到过电流脱扣器的动作电流时,过电流脱扣器6的衔铁

图1-33　低压断路器工作原理图
1—分闸弹簧;2—主触头;3—传动杆;
4—锁扣;5—轴;6—过电流脱扣器;
7—热脱扣器;8—欠压失压脱扣器;9—分励脱扣器

吸合,顶杆上移将锁扣4顶开,在分闸弹簧1的作用下使主触头断开。当主电路出现欠压、失压或过载时,则欠压、失压脱扣器和热脱扣器分别将锁扣顶开,使主触头断开。分励脱扣器可由主电路或其他控制电源供电,由操作人员发出指令使分励线圈通电,其衔铁吸合,将锁扣顶开,在分闸弹簧作用下使主触头断开,同时也使分励线圈断电,从而实现远距离控制。

2. 低压断路器的主要技术数据和保护特性

（1）低压断路器的主要技术数据

①额定电压　断路器在电路中长期工作时的允许电压值。

②断路器额定电流　指脱扣器允许长期通过的电流,即脱扣器额定电流。

③断路器壳架等级额定电流　指每一件框架或塑壳中能安装的最大脱扣器额定电流。

④断路器的通断能力　指在规定操作条件下,断路器能接通和分断短路电流的能力。

⑤保护特性　指断路器的动作时间与动作电流的关系曲线。

（2）保护特性

断路器的保护特性主要是指断路器长期过载和过电流保护特性,即断路器动作时间与热脱扣器和过电流脱扣器动作电流的关系曲线,如图1-34所示。图中ab段为过载保护特性,具有反时限;df段为瞬时动作曲线,当故障电流超过d点对应电流时,过电流脱扣器便瞬时动作;ce段为定时限延时动作曲线,当故障电流大于c点对应电流时,过电流脱扣器经短时延时后动作,延时长短由

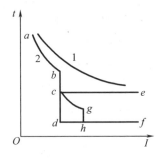

图1-34　低压断路器的保护特性曲线
1—被保护对象的发热特性;
2—低压断路器保护特性

c 点与 d 点对应的时间差决定。根据需要,断路器的保护特性可以是两段式,如 $abdf$,既有过载延时又有短路瞬动保护;而 $abce$ 则为过载长延时和短路延时保护。另外,还可有三段式的保护特性,如 $abcghf$ 曲线,既有过载长延时、短路短延时,又有特大短路的瞬动保护。为达到良好的保护作用,断路器的保护特性应与被保护对象的发热特性有合理的配合,即断路器的保护特性 2 应位于被保护对象发热特性 1 的下方,并以此来合理选择断路器的保护特性。

3. 塑壳式低压断路器典型产品

塑壳式低压断路器根据用途分为配电用断路器、电动机保护用和其他负载用断路器,用作配电线路、电动机、照明电路及电热器等设备的电源控制开关及保护。常用的有 DZl5、DZ20、H、T、3VE、S 等系列,后四种是引进国外技术生产的产品。DZ20 系列断路器是全国统一设计的系列产品,适用于交流额定电压 500 V 以下、直流额定电压 220 V 及以下,额定电流 100～125 A 的电路中作为配电、线路及电源设备的过载、短路和欠电压保护;额定电流 200 A 及以下和 ZD20Y 型的断路器也可作为电动机的过载、短路和欠电压保护。低压断路器的符号如图 1-35 所示。

图 1-35　低压断路器的符号

4. 低压断路器的选用

(1)断路器额定电压等于或大于线路额定电压。

(2)断路器额定电流等于或大于线路或设备额定电流。

(3)断路器通断能力等于或大于线路中可能出现的最大短路电流。

(4)欠电压脱扣器额定电压等于线路额定电压。

(5)分励脱扣器额定电压等于控制电源电压。

(6)长延时电流整定值等于电动机额定电流。

(7)瞬时整定电流:对保护笼型感应电动机的断路器,瞬时整定电流为 8～15 倍电动机额定电流;对于保护绕线型感应电动机的断路器,瞬时整定电流为 3～6 倍电动机额定电流。

(8)6 倍长延时电流整定值的可返回时间等于或大于电动机实际启动时间。使用低压断路器来实现短路保护要比熔断器性能更加优越,因为当三相电路发生短路时,很可能只有一相的熔断器熔断,造成单相运行。对于低压断路器,只要造成短路都会使开关跳闸,将三相电源全部切断。何况低压断路器还有其他自动保护作用。但它结构复杂操作频率低,价格较高,适用于要求较高场合。

典型任务 6　主令电器的选用

主令电器主要用来接通或断开控制电路,以发布命令或信号,改变控制系统工作状态的电器。常用的主令电器有控制按钮、行程开关、万能转换开关、主令控制器等。

1.6.1　控制按钮

控制按钮是一种结构简单、应用广泛的主令电器。主要用于远距离操作具有电磁线圈的电器,如接触器、继电器等,也用在控制电路中发布指令和执行电气联锁。

控制按钮一般由按钮、复位弹簧、触头和外壳等部分组成,其结构示意图如图 1-36 所示。每个按钮中的触头形式和数量可根据需要装配成一常开、一常闭到六常开、六常闭等形式。按下按钮时,先断开常闭触头,后接通常开触头。当松开按钮时,在复位弹簧作用下,常开触头先断开常闭触头后闭合。控制按钮按保护形式分为开启式、保护式、防水式和防腐式等。按结构形式分为嵌压式、紧急式、钥匙式、带信号灯、带灯揿钮式、带灯紧急式等。按钮颜色有红、黑、绿、黄、白、蓝等。

按钮的主要技术参数有额定电压、额定电流、结构型式、触头数及按钮颜色等。常用的控制按钮额定电压为交流电压 380 V,额定工作电流为 5 A。常用的控制按钮有 LA18、LA19、LA20 及 LA25 等系列。控制按钮选用原则:

(1)根据使用场合,选择控制按钮的种类,如开启式、防水式、防腐式等;

(2)根据用途,选择控制按钮的结构型式,如钥匙式、紧急式、带灯式等;

(3)根据控制回路的需求,确定按钮数,如单钮、双钮、三钮、多钮等;

(4)根据工作状态指示和工作情况的要求,选择按钮及指示灯的颜色。

控制按钮的符号如图 1 - 37 所示。

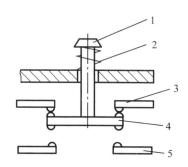

图 1 - 36　控制按钮结构示意图

1—按钮;2—复位弹簧;3—常闭静触头;
4—动触头;5—常开静触头

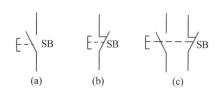

图 1 - 37　控制按钮符号

(a)常开触头;(b)常闭触头;(c)复式触头

1.6.2　行程开关

依据生产机械的行程发出命令,以控制其运动方向和行程长短的主令电器称为行程开关。若将行程开关安装于生产机械行程的终点处,用以限制其行程,则称为限位开关或终端开关。行程开关按接触方式分为机械结构的接触式有触点行程开关和电气结构的非接触式接近开关。机械结构的接触式行程开关是依靠移动机械上的撞块碰撞其可动部件使常开触头闭合、常闭触头断开来实现对电路控制的。当工作机械上的撞块离开可动部件时,行程开关复位,触头恢复其原始状态。行程开关按其结构可分为直动式、滚动式和微动式三种。

直动式行程开关结构原理如图 1 - 38 所示,它的动作原理与控制按钮相同,但它的缺点是触头分合速度取决于生产机械的移动速度,当移动速度低于 0.4 m/min 时,触头分断太慢,易受电弧烧蚀。为此,应采用盘形弹簧瞬时动作的滚轮式行程开关,如图 1 - 39 所示。当滚轮 1 受到向左的外力作用时,上转臂 2 向左下方转动,推杆 4 向右转动,并压缩右边弹簧 10,同时下面的滚轮 5 也很快沿着擒纵件 6 向右滚动,小滚轮滚动又压缩弹簧 9,当滚轮 5 滚过擒纵件 6 的中点时,盘形弹簧 3 和弹簧 9 都使擒纵件迅速转动,从而使动触头迅速地与右边静触头分开,并与左边静触头闭合,减少了电弧对触头的烧蚀,适用于低速运行的机械。微动开关是具有瞬时动作和微小行程的灵敏开关。图 1 – 40 为 LX31 型微动开关结构示意图,当开关推杆 6 在机械作用压下时,弓簧片 2 产生变形,储存能量并产生位移,当达到临界点时,弹簧片连同桥式动触头瞬时动作。当外力失去后,推杆在弓簧片作用下迅速复位,触头恢复原来状态。由于采用瞬动结构,触头换接速度不受推杆压下速度的影响。常用的行程开关有 JLXK1、X2、LX3、LX5、LX12、LX19A、LX21、LX22、LX29、LX32 系列,微动开关有 LX31 系列和 JW 型。行程开关的符号如图 1 – 41 所示。注意:限位开关的图形符号与行程开关相同,但文字符号用 SQ 表示。

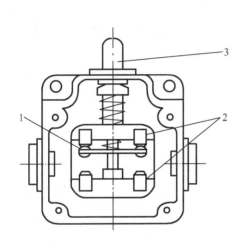

图 1 – 38　直动式行程开关

1—动触头;2—静触头;3—推杆

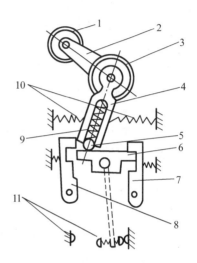

图 1 – 39　滚轮式行程开关

1—滚轮;2—上转臂;3—盘形弹簧;
4—推杆;5—小滚轮;6—擒纵件;
7、8—压板;9、10—弹簧;11—触头

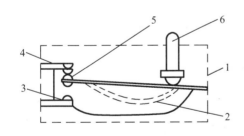

图 1 – 40　微动开关

1—壳体;2—弓簧片;3—常开触头;
4—常闭触头;5—动触头;6—推杆

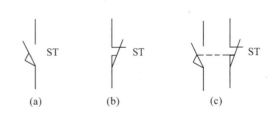

图 1 – 41　行程开关的符号

(a)常开触头;(b)常闭触头;(c)复式接头

行程开关的选用原则:

(1)根据应用场合及控制对象选择;

(2)根据安装使用环境选择防护型式;

(3)根据控制回路的电压和电流选择行程开关系列;

(4)根据运动机械与行程开关的传力和位移关系选择行程开关的头部型式。

电气结构的非接触式行程开关,是当生产机械接近它到一定距离范围内时,它就发出信号,控制生产机械的位置或进行计数,故称接近开关,其内容可参考其他相关书籍。

1.6.3　万能转换开关

　　万能转换开关是由多组相同结构的触头组件叠装而成的多挡位多回路的主令电器。它由操作机构、定位装置和触头系统三部分组成。典型的万能转换开关结构示意图如图1-42所示。万能转换开关的符号及通断表如图1-43所示,图中符号中"每一横线"代表一路触头,三条竖的虚线代表手柄位置。哪一路触头接通就在代表该位置虚线上的触头下面用黑点"."表示。触头通/断状态也可用通断表来表示,表中的"×"表示触头接通,空白表示触头分断。在每层触头底座上均可装三对触头,并由触头底座中的凸轮经转轴来控制这三对触头的通断。由于各层凸轮可做成不同的形状,这样用

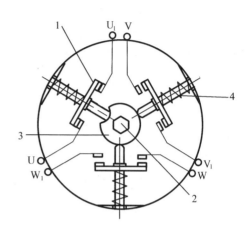

图1-42　万能转换开关示意图
1—触头;2—转轴;3—凸轮;4—触头弹簧

手柄将开关转至不同位置时,经凸轮的作用,可实现各层中的各触头按所规定的规律接通或断开。以适应不同的控制要求。常用的万能转换开关有LW5、LW6、LW12、LW15等系列。它用于低压各种控制电路的转换、电气测量仪表的转换以及配电设备的遥控和转换,还可用于不频繁启动停止的小容量电动机的控制。

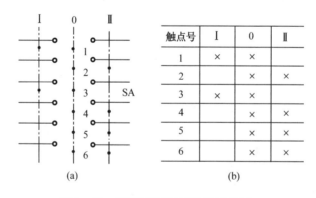

触点号	I	0	II
1	×	×	
2		×	×
3	×	×	
4		×	×
5		×	×
6		×	×

(a)　　　　　　　　　　　　(b)

图1-43　万能转换开关符号及通断表
(a)图形符号及文字符号;(b)通断表

万能转换开关的选用原则:

(1)按额定电压和工作电流选用相应的万能转换开关系列。

(2)按操作需要选定手柄型式和定位特征。

(3)按控制要求参照转换开关产品样本,确定触点数量和接线图编号。

(4)按用途选择面板型式及标志。

典型任务 7　交流接触器的识别与拆装

1.7.1　任务目的

1. 熟悉交流接触器外形和基本结构。
2. 掌握交流接触器的拆装方法、步骤和装配工艺。

1.7.2　任务设备、工具和仪器仪表

1. 工具：螺钉旋具、电工刀、尖嘴钳、斜口钳等。
2. 仪表：MF47 型万用表、ZC25—3 型兆欧表。
3. 器材：CJ20—20 型交流接触器，一只。

1.7.3　任务内容与步骤

CJ20—20 型交流接触器的拆卸、检查、维修和装配。

1. 交流接触器的拆装

（1）卸下灭弧罩紧固螺钉，取下灭弧罩。

（2）拉紧主触头定位弹簧夹，取下主触头及主触头压力弹簧片。拆卸主触头时必须将主触头侧转 45°后取下。

（3）松开辅助常开静触头的线桩螺钉，取下常开静触头。

（4）松开接触器底部的盖板螺钉，取下盖板。在松开盖板螺钉时，要用手按住螺钉并慢慢放松。

（5）取下静铁芯缓冲绝缘纸片及静铁芯。

（6）取下静铁芯支架及缓冲弹簧。

（7）拔出线圈接线端的弹簧夹片，取下线圈。

（8）取下反作用弹簧。

（9）取下衔铁和支架。

（10）从支架上取下动铁芯定位销。

（11）取下动铁芯及缓冲绝缘纸片。

2. 交流接触器的检查与维修

（1）检查灭弧罩有无破裂或烧损，清除灭弧罩内的金属飞溅物和颗粒。

（2）检查触头的磨损程度，磨损严重时应更换触头。若不需要更换，则清除触头表面上烧毛的颗粒。

（3）清除铁芯端面的油垢，检查铁芯有无变形及端面接触是否平整。

（4）检查触头压力弹簧及反作用弹簧是否变形或弹力不足，如有需要则更换弹簧。触头压力的测量与调整：将一张厚约 0.1 mm、比触头稍宽的纸条夹在触头间，使触头处于闭合状态，用手拉纸条。若触头压力合适，稍用力纸条便可拉出，若纸条很容易被拉出，则说明触头压力不够，若纸条被拉断，则说明触头压力过大，可调整或更换触头弹簧，直到符合要求。

（5）检查电磁线圈是否有短路、断路及发热变色现象。

（6）用万用表欧姆挡检查线圈及各触头是否良好；用兆欧表测量各触头对地电阻是否

符合要求;用手按动主触头检查运动部分是否灵活,以防产生接触不良、振动和噪声。

3. 交流接触器的装配

装配时按拆卸的相反顺序进行。交流接触器结构图如图 1 – 44 所示。

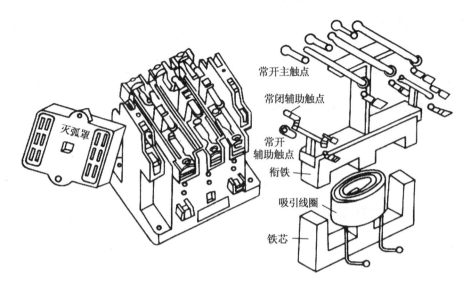

图 1 – 44　交流接触器结构图

1.7.4　注意事项

1. 在交流接触器拆卸过程中,应将零件放入容器内,以防零件丢失。

2. 拆装过程中不允许硬撬,以免损坏电器。装配辅助静触头时,要防止卡住动触头。

3. 通电校验时,接触器应固定在控制板上,并有教师监护,以确保用电安全;通电校验过程中,要均匀、缓慢地改变调压变压器的输出电压,以使测量结果尽量准确。

典型任务 8　热继电器的调整

1.8.1　任务目的

1. 熟悉热继电器的结构和工作原理;

2. 学会热继电器的使用和校验调整方法。

1.8.2　任务设备与器材

1. 工具:螺钉旋具、电工刀、尖嘴钳、钢丝钳等。

2. 仪表:MF47 型万用表、ZC25 – 3 型兆欧表。

3. 器材:热继电器 JR16,一只。

1.8.3　任务内容与步骤

1. 观察热继电器的结构

将热继电器的后绝缘盖板卸下,仔细观察热继电器的结构,指出动作结构、电流整定装置、复位按钮及触头系统的位置,并能叙述它们的作用。

2. 校验调整

(1)按图 1-45 连接校验电路。

(2)将调压器的输出调到零位置,将热继电器置于手动复位状态并将整定值旋钮置于额定值位置。

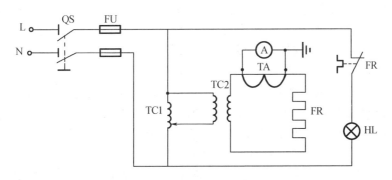

图 1-45　热继电器校验电路

(3)合上电源开关 QS,指示灯 HL 亮。

(4)将调压器输出电压升高,使热元件通过的电流升至额定值。1 h 内热继电器应不动作,若 1 h 内热继电器动作,则应将调节旋钮向额定值大的方向旋动。

(5)将电流升至 1.2 倍额定电流,热继电器应在 20 min 内动作,否则,应将调节旋钮向额定值小的方向旋动。

(6)将电流降至零,待热继电器冷却并手动复位后,再调升电流至 1.5 倍额定值。热继电器冷却后应在 2 min 内动作。

(7)将电流降至零,快速调升电流至 6 倍额定值,分断 QS 再随即合上,其动作时间应大于 5 s。

3. 复位方式的调整

热继电器出厂时,一般都调在手动复位,如果需要自动复位,可将复位调节螺钉顺时针旋进。自动复位时应在动作 5 min 内自动复位。手动复位时在动作 2 min 后,按下手动复位按钮,热继电器应复位。

1.8.4　注意事项

1. 校验时环境温度应尽量接近工作温度,连接导线长度一般小于 0.6 m,连接导线截面积应与使用的实际情况相同。

2. 校验时电流变化较大,为使测量结果准确,校验时应注意选择电流互感器的合适量程。

3. 通电校验时,必须将热继电器、电源开关固定在校验板上,以确保用电安全。

【小结】

本模块较为详细地介绍了低压电器的基础知识。在此基础上分别介绍了接触器、继电器、熔断器、刀开关、低压断路器、主令电器等各种低压电器的结构、工作原理、选择,各种电器的型号规格、技术数据、图形符号等。

低压电器主要由电磁机构、触头系统和灭弧装置组成。额定电压、额定电流、通断能力等是其主要技术参数,这些技术参数是选用电器的主要依据。应根据各种电器的具体要求和作用来合理选择。有些电器在使用时,应根据被控制或保护电路的具体要求,在一定范围内进行调整,应在掌握其工作原理的基础上掌握其调整方法。

为了不断优化和改进控制电路,应及时了解电器的发展动向,及时掌握、使用各种新型电器。目前低压电器发展方向有:控制电器和保护电器结合;安装、维修更为方便;结构的单元化、零部件统一化,采用卡轨式和积木式结构。为适应以微处理器为基础的工业控制要求,电器直接用36 V以下电压操作。采用新的结构原理,如有触头电器向无触头电器扩展,采用惰性气体或真空灭弧的原理,用固态集成电路、微处理器取代电动原则等。

【思考与习题】

1. 何为低压电器? 何为低压控制电器?

2. 低压电器的电磁机构由哪几部分组成?

3. 电弧是如何产生的? 常用的灭弧方法有哪些?

4. 触头的形式有哪几种? 常用的灭弧装置有哪几种?

5. 熔断器有哪几种类型? 试写出各种熔断器的型号。它在电路中的作用是什么?

6. 熔断器有哪些主要参数? 熔断器的额定电流与熔体的额定电流是同一参数吗?

7. 熔断器与热继电器用于保护交流三相异步电动机时,能不能互相取代,为什么?

8. 交流接触器主要由哪几部分组成? 并简述其工作原理。

9. 交流接触器频繁操作后线圈为什么会发热? 其衔铁卡住后会出现什么后果?

10. 交流接触器能否串联使用,为什么?

11. 三角形接法的电动机为什么要选用带断相保护的热继电器?

12. 电动机主电路中装有熔断器作为短路保护,能否同时起到过载保护作用? 可以不装热继电器吗,为什么?

13. 叙述时间继电器的工作原理、用途和特点。

14. 何为常开、常闭触头? 时间继电器的常开、常闭触头与一般的常开、常闭触头有何区别?

15. 断路器在电路中的作用是什么? 它有哪些脱扣器,各起什么作用?

16. 什么是主令电器,它有哪些类型?

17. 继电器与接触器主要区别是什么?

18. 画出下列低压电器的图形符号,标出其文字符号,并说明其功能。

(1)熔断器;(2)热继电器;(3)接触器;(4)时间继电器;(5)控制按钮;(6)行程开关;(7)速度继电器。

学习情境 2 船舶电气基本控制环节的安装与调试

【学习任务概况】

知识目标:熟悉电气原理图画法规则和读图方法;熟练掌握电气控制电路的基本环节。

能力目标:能正确绘制和阅读电气控制系统图;具有简单电气控制电路分析和安装接线能力。

典型任务 1 船用电动机的基本控制

2.1.1 单向点动与连续控制

1. 单向点动控制电路

单向点动控制电路是用按钮、接触器来控制电动机运转的最简单的控制电路。如图 2-1 所示。

启动:合上电源开关 QS,按下启动按钮 SB→接触器 KM 线圈得电→KM 主触头闭合→电动机 M 启动运行。

停止:松开按钮 SB→接触器 KM 线圈失电→KM 主触头断开→电动机 M 失电停转。

停止使用时:断开电源开关 QS。

2. 单向连续控制电路

在要求电动机启动后能连续运行时,采用上述点动控制电路就不行了。因为要使电动机 M 连续运行,启动按钮 SB 就不能断开,这是不符合生产实际要求的。为实现电动机的连续运行,可采用图 2-2 所示的接触器自锁正转控制电路。

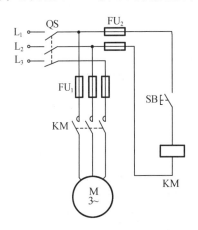

图 2-1 单向点动控制电路

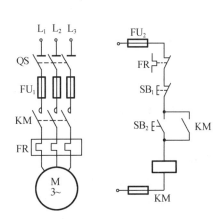

图 2-2 接触器自锁正转控制电路

电路的工作原理如下:先合上电源开关 QS,当松开 SB_2 常开触头恢复分断后,因为接触器 KM 的常开辅助触头闭合时已将 SB_2 短接,控制电路仍保持接通,所以接触器 KM 继续通电,电动机 M 实现连续运转。

把这种当松开启动按钮 SB_2 后,接触器 KM 通过自身常开触头而使线圈保持通电的作用叫作自锁(或自保持)。与启动按钮 SB_2 并联起自锁作用的常开触头叫自锁触头(也称自保持触头)。该电路的保护环节有短路保护、过载保护、失压和欠压保护

3. 点动与连续混合控制

机床设备在正常运行时,一般电动机都处于连续运行状态。但在试车或调整刀具与工件的相对位置时,又需要电动机能点动控制,实现这种控制要求的电路是连续与点动混合控制的控制电路。如图 2 - 3 所示。

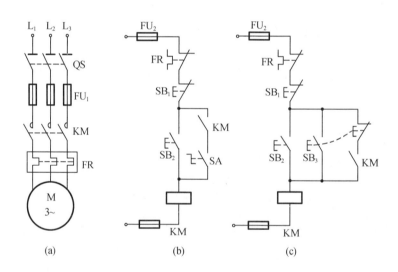

图 2 - 3 点动与连续混合控制的电路

(a)主电路;(b)开关选择控制电路;(c)按钮选择的控制电路

2.1.2 可逆运行控制

各种生产机械常常要求具有上、下、左、右、前、后等相反方向的运动,这就要求电动机能够实现可逆运行。三相交流电动机可借助正、反向接触器改变定子绕组相序来实现。为避免正、反向接触器同时通电造成电源相间短路故障,正反向接触器之间需要有一种制约关系——互锁,保证它们不能同时工作。图 2 - 4 给出了两种可逆控制电路。

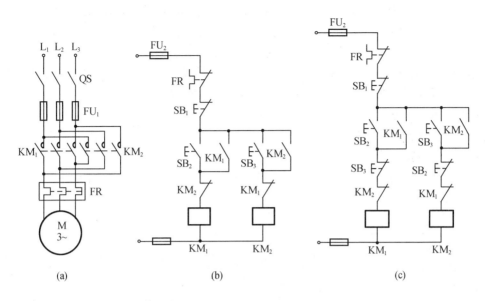

图 2 - 4 三相异步电动机可逆运行控制电路

(a)主电路;(b)电气互锁控制电路;(c)双重互锁控制电路

1. 电气互锁

图 2 - 4(b)是电动机"正—停—反"可逆控制电路,利用两个接触器的常闭触头 KM_1 和 KM_2 相互制约,即当一个接触器通电时,利用其串联在对方接触器的线圈电路中的常闭触头的断开来锁住对方线圈电路。这种利用两个接触器的常闭辅助触头互相控制的方法称为"电气互锁",起互锁作用的两对触头称为互锁触头。这种只有接触器互锁的可逆控制电路在正转运行时,要想反转必先停车,否则不能反转,因此叫作"正—停—反"控制电路。电路的工作原理如下:

启动控制:合上电源开关 QS。

正向启动:按下启动按钮 SB_2→KM_1 线圈通电并自锁→其主触头闭合→电动机 M 定子绕组加正向电源直接正向启动运行。

反向启动:按下启动按钮 SB_3→KM_2 线圈通电并自锁→其主触头闭合→电动机 M 定子绕组加反向电源直接反向启动运行。

停止控制:按下停止按钮 SB_1→KM_1(或 KM_2)线圈断电→其主触头断开→电动机 M 定子绕组断电停转。

2. 双重互锁控制电路

图 2 - 7(c)是电动机"正—反—停"控制电路,采用两只复合按钮实现。在这个电路中,正转启动按钮 SB_2 的常开触点用来使正转接触器 KM_1 的线圈瞬时通电,其常闭触头则串联在反转接触器 KM_2 线圈的电路中,用来锁住 KM_2。反转启动按钮 SB_3 也按 SB_2 的相同方法连接,当按下 SB_2 或 SB_3 时,首先是常闭触头断开,然后才是常开触头闭合。这样在需要改变电动机运动方向时,就不必按 SB_1 停止按钮了,可直接操作正反转按钮即能实现电动机可逆运转。这种将复合按钮的常闭触头串接在对方接触器线圈电路中所起的互锁作用称为按钮互锁,又称机械互锁。电路的工作原理如下:

启动控制:合上电源开关 QS。

正向启动：按下启动按钮 SB_2→其常闭触头断开，对 KM_2 实现互锁，之后 SB_2 常开触头闭合→KM_1 线圈通电→其常闭触头断开，对 KM_2 实现互锁，之后 KM_1 自锁触头闭合，同时主触头闭合→电动机 M 定子绕组加正向电源直接正向启动运行。

反向启动：按下反向启动按钮 SB_3→其常闭触头断开，对 KM_1 实现互锁，之后 SB_3 常开触头闭合→KM_2 线圈通电→其常闭触头断开，对 KM_1 实现互锁，之后 KM_2 自锁触头闭合，同时主触头闭合→电动机 M 定子绕组加反向电源直接反向启动。

停止控制：按下停止按钮 SB_1→KM_1（或 KM_2）线圈断电→其主触头断开→电动机 M 定子绕组断电并停转。

这个电路既有接触器互锁，又有按钮互锁，称为双重互锁的可逆控制电路，为机床电气控制系统所常用。

2.1.3　多地联锁控制

能在两地或多地控制同一台电动机的控制方式叫电动机的多地联锁控制。在大型生产设备上，为使操作人员在不同方位均能进行启、停操作，常常要求组成多地控制电路。

图 2-5 为两地控制的控制电路。其中 SB_2、SB_1 为安装在甲地的启动按钮和停止按钮，SB_4、SB_3 为安装在乙地的启动按钮和停止按钮。电路的特点是：启动按钮并联在一起，停止按钮串联在一起，即分别实现逻辑或和逻辑与的关系。这样就可以分别在甲、乙两地控制同一台电动机，达到操作方便的目的。对于三地或多地控制，只要将各地的启动按钮并联、停止按钮串联即可实现。

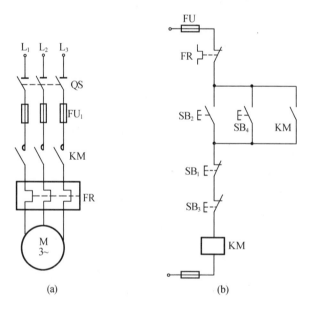

(a)　　　　　　　　　　(b)

图 2-5　两地联锁控制电路

（a）主电路；（b）控制电路

2.1.4　顺序控制

联锁控制的应用是很广泛的。凡是生产线上某些环节或一台设备的某些部件之间具有互相制约或互相配合的控制,均称为联锁控制。下面再介绍实现按顺序工作时的联锁控制。在机床的控制电路中,常常要求电动机的启、停有一定的顺序。例如磨床要求先启动润滑油泵,然后再启动主轴电机;龙门刨床在工作台移动前,导轨润滑油泵要先启动;铣床的主轴旋转后,工作台方可移动等;顺序工作控制电路有顺序启动、同时停止控制电路,有顺序启动、顺序停止控制电路,还有顺序启动、逆序停止控制电路。图 2-6 为两台电动机的联锁控制电路。图 2-6(b)是顺序启动、同时停止或单独停止 M_2 控制电路。在这个控制电路中,只有 KM_1 线圈通电后,其串入 KM_2 线圈电路中的常开触头 KM_1 闭合,才使 KM_2 线圈有通电的可能。图 2-6(c)是顺序启动、逆序停止控制电路。停车时,必须按 SB_3,断开 KM_2 线圈电路,使并联在按钮 SB_1 两端的常开触头 KM_2 断开后,再按 SB_1 才能使 KM_1 线圈断电。

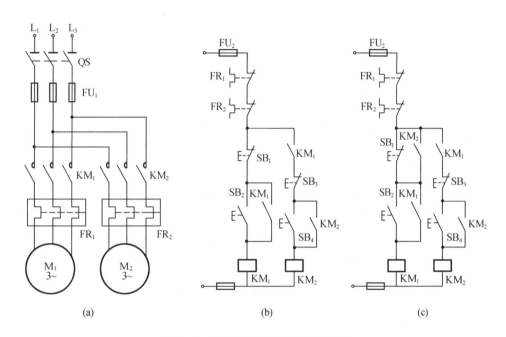

图 2-6　两台电动机的顺序控制电路

(a)主电路;(b)顺序启动控制电路;(c)顺序启动、逆序停止控制电路

2.1.5　自动往返控制

有些生产机械,如万能铣床,要求工作台在一定距离内能自动往返,而自动往返通常是利用行程开关控制电动机的正反转来实现工作台的自动往返运动。工作台自动往返运动示意图如图 2-7 所示。

图 2-8 为工作台自动往返行程控制电路,工作过程如下:合上电源开关 QS,按下启动按钮 SB_2,KM_1 得电并自锁,电动机正转,工作台向左移动,当到达左移预定位置后,挡铁 B 压下 ST_2,ST_2 常闭触头打开使 KM_1 断电,ST_2 常开触头闭合使 KM_2 得电,电动机由正转变为反转,工作台向右移动。当到达右移预定位置后,挡铁 A 压下 ST_1,使 KM_2 断电,KM_1 得电,电动机由反转变为正转,工作台向左移动。如此周而复始地自动往返工作。当按下停止按钮 SB_1 时,电动机停转,工作台停止移动。若因行程开关 SQ_1、SQ_2 失灵,则由极限保护行程开关 SQ_1、SQ_2 实现保护,避免运动部件因超出极限位置而发生事故。

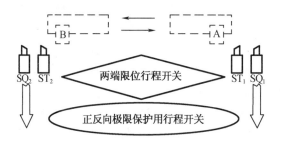

图 2-7　工作台自动往返运动示意图

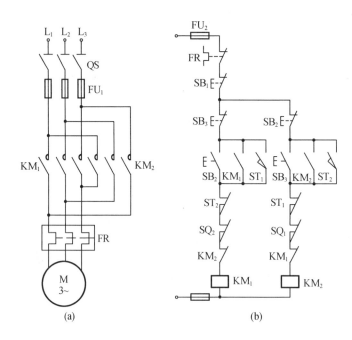

图 2-8　工作台自动往返行程控制电路

(a)主电路;(b)控制电路图

典型任务 2　船用电动机减压启动控制的调试

三相笼型异步电动机,可采用直接启动和减压启动,前面介绍的电气控制电路的启动控制均为直接启动。由于异步电动机的启动电流一般可达其额定电流的 4~7 倍,过大的启动电流一方面会造成电网电压的显著下降,直接影响在同一电网工作的其他用电设备正常工作;另一方面电动机频繁启动会严重发热,加速线圈老化,缩短电动机的寿命,因此直接启动只适用于小容量电动机。当电动机容量较大(10 kW 以上)时,一般采用减压启动。

所谓减压启动,是指启动时降低加在电动机定子绕组上的电压,待电动机启动后再将电压恢复到额定电压值,使之运行在额定电压下。

减压启动的目的在于减小启动电流,但启动转矩也将降低,因此减压启动只适用于空载或轻载下启动。

减压启动的方法:定子绕组串电阻减压启动、Y－△减压启动、自耦变压器减压启动、软启动(固态减压启动器)、延边三角形减压启动。

2.2.1　定子绕组串电阻减压启动控制

定子绕组串电阻减压启动是指启动时在电动机定子绕组中串接电阻,通过电阻的分压作用,使电动机定子绕组上的电压减小;待电动机转速上升至接近额定转速时,将电阻切除,使电动机在额定电压(全压)下正常运行。这种启动方法适用电动机容量不大,启动不频繁且平稳的场合,其特点是启动转矩小,加速平滑,但电阻上的能量损耗大。图 2 – 9 为三相异步电动机定子绕组串电阻减压启动控制原理图。图中 SB_2 为启动按钮,SB_1 为停止按钮,R 为启动电阻,KM_1 为电源接触器,KM_2 为切除启动电阻用接触器,KT 为控制启动过程的时间继电器。

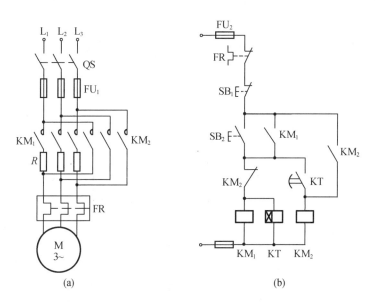

图 2 – 9　定子绕组串电阻减压启动控制电路

(a)主电路;(b)控制电路

电路的工作原理为:合上电源开关 QS,按下启动按钮 SB_2,KM_1 得电并自锁,电动机定子绕组串入电阻 R 减压启动,同时 KT 得电,经延时后 KT 常开触头闭合,KM_2 得电并自锁,KM_2 辅助常闭触头断开,KM_1、KT 失电;KM_2 主触头闭合将启动电阻 R 短接,电动机进入全压正常运行。

2.2.2　星形—三角形减压启动控制

星形—三角形(Y—△)减压启动是指电动机启动时,把定子绕组接成星形,以降低启动电压,减小启动电流;待电动机启动后,转速上升至接近额定转速时,再把定子绕组改接成三角形,使电动机全压运行。Y—△启动适合正常运行时为△形接法的三相笼型异步电动机轻载启动的场合,其特点是启动转矩小,仅为额定值的 1/3,转矩特性差(启动转矩下降为原来的 1/3)。

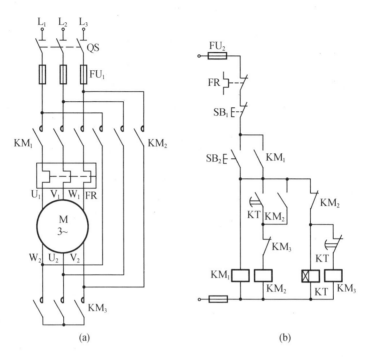

图 2 - 10　Y—△减压启动控制电路

（a）主电路；（b）控制电路

图 2 - 10 为时间继电器自动控制 Y—△减压启动控制电路,电路的工作原理为:合上电源开关 QS,按下启动按钮 SB$_2$,KM$_1$、KM$_3$、KT 线圈同时通电吸合并自锁,KM$_1$、KM$_3$ 的主触头闭合,电动机 M 三相定子绕组接成星形接入三相交流电源进行减压启动,当电动机转速上升至接近额定转速时,通电延时型时间继电器 KT 动作,其常闭触头断开,KM$_3$ 线圈断电释放,其互锁触头复位,主触头断开,电动机 M 定子绕组断电解除星形联结;KT 常开触头闭合,使得 KM$_2$ 线圈通电吸合并自锁,电动机定子绕组接成三角形全压运行。KM$_2$、KM$_3$ 辅助常闭触头为互锁触头,以防电动机定子绕组同时接成星形和三角形造成主电路电源短路。

2.2.3　自耦变压器减压启动控制

自耦变压器减压启动是指电动机启动时利用自耦变压器来降低加在电动机定子绕组上的启动电压,电动机启动后,当电动机转速上升至接近额定转速时,将自耦变压器切除,电动机定子绕组直接加电源电压,进入全压运行。这种启动方法适合重载启动的场合,其特点是启动转矩大(60%、80%抽头)、损耗低,但设备庞大、成本高,启动过程中会出现二次涌流冲击,适用于不频繁启动、容量在 30 kW 以上的设备。图 2 - 11 为自耦变压器减压启动控制电路图。图中 KM$_1$ 为减压启动接触器,KM$_2$ 为全压运行接触器,KA 为中间继电器,KT 为减压启动控制时间继电器。

电路工作原理:合上电源开关 QS,按下启动按钮 SB$_2$,KM$_1$、KT 线圈同时通电,KM$_1$ 线圈通电吸合并自锁,将自耦变压器接入,电动机由自耦变压器二次电压供电做减压启动。

当电动机转速接近额定转速时,时间继电器 KT 延时时间到后动作,其延时闭合触头闭合,使 KA 线圈通电并自锁,其常闭触头断开 KM$_1$ 线圈电路,KM$_1$ 线圈断电后返回,将自耦

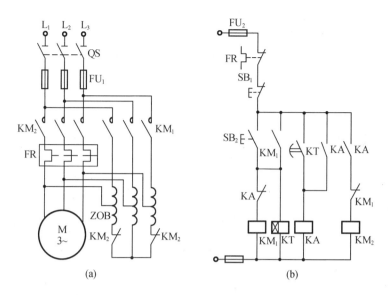

图 2-11　自耦变压器减压启动控制电路

（a）主电路；（b）控制电路

变压器从电源切除；KA 的常开触头闭合，使 KM_2 线圈通电吸合，其主触头闭合，电动机定子绕组加全电压进入正常运行。

2.2.4　三相绕线型异步电动机启动控制

三相绕线型异步电动机启动控制的方法有转子串电阻或串频敏变阻器启动两种。转子串电阻启动控制的原则有时间原则控制和电流原则控制两种。下面仅分析按时间原则控制转子串电阻启动控制。串接在三相转子绕组中的启动电阻，一般都接成星形。启动时，将全部启动电阻接入，随着启动的进行，电动机转速的升高，转子电阻依次被短接，在启动结束时，转子外接电阻全部被短接。短接电阻的方法有三相电阻不平衡短接法和三相电阻平衡短接法两种。所谓不平衡短接法是依次轮流短接各相电阻，而平衡短接是依次同时短接三相转子电阻。当采用凸轮控制器触头来短接各相电阻时，因控制器触头数量有限，一般采用不平衡短接法；对于采用接触器触头来短接转子电阻时，均采用平衡短接法。图 2-12 为转子串三级电阻按时间原则控制的启动电路。图中 KM_1 为电路接触器，KM_2、KM_3、KM_4 为短接电阻启动接触器，KT_1、KT_2、KT_3 为短接转子电阻时间继电器。电路工作原理：合上电源开关 QS，按下启动按钮 SB_2，KM_1 线圈通电并自锁，主触头闭合，电动机转子串全电阻进行减压启动，同时时间继电器 KT_1 线圈通电并开始延时，延时时间到，KT_1 的延时闭合的常开触头闭合，KM_2 线圈通电并自锁，其主触头闭合，切除转子电阻 R_1，同时 KM_2 的辅助常开触头闭合，KT_2 线圈通电并开始延时。这样通过时间继电器依次通电延时，$KM_2 \sim KM_4$ 线圈依次通电，主触头依次闭合，转子电阻将被逐级短接，直到转子电阻全部切除，电动机启动结束，进入正常运行。注意电动机进入正常运行时，控制电路中只有 KM_1、KM_4 处于工作状态。值得注意的是，为确保电路在转子全部电阻串入情况下启动，且当电动机进入正常运行时，只有 KM_1、KM_4 两个接触器处于长期通电状态，而 KT_1、KT_2、KT_3 与 KM_2、KM_3 线圈通电时间均压缩到最低限度，一方面节省电能，延长电器使用寿命，更为重要的是减少电路故障,保证电路安全可靠地工作。由于电路为逐级短接电阻,电动机电流与转矩突然增大,产生机械冲击。

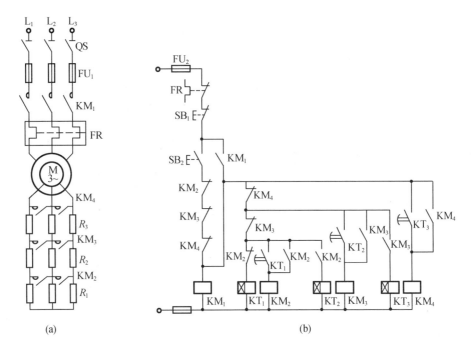

图 2-12　时间原则控制三相绕线型异步电动机转子串电阻启动控制电路

(a)主电路;(b)控制电路

典型任务3　电动机电气制动控制的调试

三相异步电动机从切除电源到完全停转,由于惯性,拖延停车的时间,这往往不能满足生产机械要求迅速停车的要求,影响生产效率,并造成停车位置不准确,工作不安全。因此应对电动机进行制动控制。

电动机制动控制方法有机械制动和电气制动。所谓机械制动是用机械装置产生机械力来强迫电动机迅速停车;电气制动是使电动机的电磁转矩方向与电动机旋转方向相反,起制动作用。常用的电气制动有反接制动和能耗制动等。

2.3.1　反接制动控制

反接制动是利用改变电动机电源的相序,使定子绕组产生相反方向的旋转磁场,因而产生制动转矩的制动方法。反接制动常采用转速为变化参量进行控制。由于反接制动时,转子与旋转磁场的相对速度接近于两倍的同步转速,所以定子绕组中流过的反接制动电流相当于全电压直接启动时电流的两倍,因此反接制动特点之一是制动迅速,效果好,冲击大,通常仅适于 10 kW 以下的小容量电动机。为了减小冲击电流,通常要求在电动机主电路中串接限流电阻。

1.电动机单向反接制动控制

（1）电路的组成

图2-13为电动机单向反接制动控制电路原理图。图中 KM_1 为电动机单向运行接触器, KM_2 为反接制动接触器,KS 为速度继电器,R 为反接制动电阻。

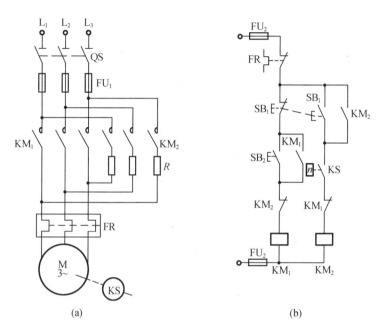

图2-13 电动机单向反接制动控制电路

（a）主电路;（b）控制电路

（2）电路的工作原理

①启动控制 合上电源开关 QS,按下启动按钮 SB_2, KM_1 线圈通电并自锁,主触头闭合,电动机全压启动,当电动机转速超过 140 r/min 时,速度继电器 KS 动作,其常开触头闭合,为反接制动做准备。

②制动控制 按下停止按钮 SB_1, SB_1 常闭触头断开,使 KM_1 线圈断电返回, KM_1 主触头断开,切断电动机原相序三相交流电源,电动机仍以惯性高速旋转。当 SB_1 按到底时,其常开触头闭合,使 KM_2 线圈通电并自锁,其主触头闭合,电动机定子串入三相对称电阻接入反相序三相交流电源进行反接制动,电动机转速迅速下降。当电动机转速下降到 100 r/min 时,KS 返回,其常开触头复位, KM_2 线圈断电返回,其主触头断开电动机反相序交流电源,反接制动结束,电动机停车。

2.电动机可逆运行反接制动控制

（1）电路的组成

图2-14为可逆运行反接制动控制原理图。图中 KM_1、KM_2 为电动机正反转接触器, KM_3 为短接制动电阻接触器, KA_1、KA_2、KA_3、KA_4 为中间接触器,KS 为速度继电器,其中 KS-1 为速度继电器正向常开触头,KS-2 为速度继电器反向常开触头。电阻 R 启动时起定子串电阻减压启动作用,停车时又作为反接制动电阻。

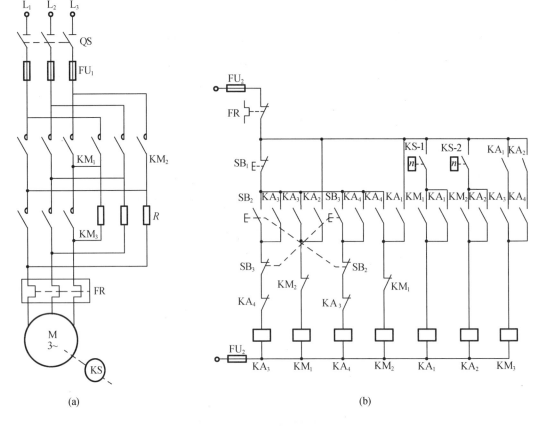

图 2－14　电动机可逆运行反接制动控制电路

(a)主电路；(b)控制电路

(2)电路的工作原理

①启动控制　正向启动：合上电源开关 QS，按下正向启动按钮 SB₂，正转中间继电器 KA₃ 线圈通电并自锁，其常闭触头断开，互锁了反转中间继电器 KA₄，KA₃ 常开触头闭合，使 KM₁ 线圈通电，KM₁ 主触头闭合使电动机定子绕组经电阻 R 接通正序三相交流电源，电动机 M 开始正向减压启动。当电动机转速上升到 140 r/min 时，KS 正转常开触头 KS－1 闭合，中间继电器 KA₁ 通电并自锁。这时由于 KA₁、KA₃ 的常开触头闭合，KM₃ 线圈通电，其主触头闭合，将电阻 R 短接，此时电动机进入全压运行。

反向启动：按下反向启动按钮 SB₃，KA₄ 通电→KM₂ 通电→M 实现定子绕组串电阻反向减压启动，当电动机反向转速上升到 140 r/min 时，KS 反转常开触头 KS－2 闭合→KA₂ 通电并自锁→KM₃ 通电→M 进入反向全压运行。

②制动控制　如电动机处于正向运行状态须停车时，可按下 SB₁→KA₃、KM₁、KM₃ 相继断电返回，此时 KS－1 仍处于闭合状态，KA₁ 仍处于吸合状态，当 KM₁ 辅助常闭触头复位后→KM₂ 通电吸合→M 定子绕组串 R 加反相序电源实现反接制动，M 的转速迅速下降，当 M 的转速下降至 100 r/min 时，KS－1 复位→KA₁ 断电→KM₂ 断电返回，反接制动结束。

反向运行的反接制动与上述相似。

2.3.2　能耗制动控制

能耗制动:是在电动机脱离三相交流电源后,向定子绕组内通入直流电源,建立静止磁场,转子以惯性旋转,转子导体切割定子恒定磁场产生转子感应电动势,利用转子感应电流与静止磁场的作用产生制动的电磁转矩,达到制动的目的。在制动过程中,电流、转速、时间三个参数都在变化,可任取一个作为控制信号,按时间作为控制参数。控制电路简单,实际应用较多。

1. 电动机单向运行能耗制动控制

(1)电路的组成

图 2-15 为电动机单向运行时间原则的能耗制动控制原理图。图中 KM₁ 为单向运行控制接触器,KM₂ 为能耗制动控制接触器,KT 为控制能耗制动的通电延时型时间继电器。

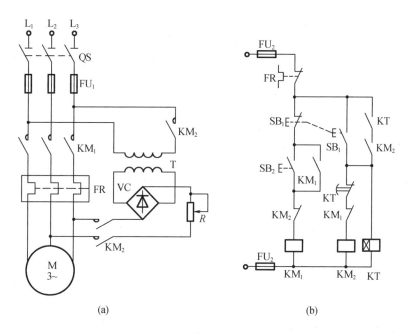

图 2-15　电动机单向运行时间原则控制的能耗制动控制电路
(a)主电路;(b)控制电路

(2)电路的工作原理

①启动控制　合上电源开关 QS,按下启动按钮 SB₂→KM₁ 通电并自锁→KM₁ 主触头闭合→M 实现全压启动并运行,同时 KM₁ 辅助常闭触头断开,对反接制动控制 KM₂ 实现互锁。

②制动控制　在电动机单向正常运行时,当需要停车时,按下停止按钮 SB₁,SB₁ 常闭触头断开→KM₁ 断电→KM₁ 主触头断开,切断 M 三相交流电源。SB₁ 常开触头闭合→KM₂、KT 同时通电并自锁,其主触头闭合→M 定子绕组接入直流电源进行能耗制动。M 转速迅速下降,当转速接近零时,KT 延时时间到,KT 延时断开的常闭触头断开→KM₂、KT 相继断电返回,能耗制动结束。

图中 KT 的瞬动常开触头与 KM₂ 的自锁触头串联,其作用是:当发生 KT 线圈断线或机械卡住故障,致使 KT 延时断开的常闭触头断不开,常开触头也合不上时,只有按下停止按钮 SB_1,成为点动能耗制动。若无 KT 的常开瞬动触头串接 KM_2 常开触头,在发生上述故障时,按下停止按钮 SB_1 后,将使 KM_2 线圈长期通电吸合,使电动机两相定子绕组长期接入直流电源。

2. 电动机可逆运行能耗制动控制

（1）电路的组成

图 2 – 16 为速度原则控制的可逆运行能耗制动控制原理图。图中 KM_1、KM_2 为电动机正、反转接触器,KM_3 为能耗制动接触器,KS 为速度继电器,其中 KS – 1 为速度继电器正向常开触头,KS – 2 为速度继电器反向常开触头。

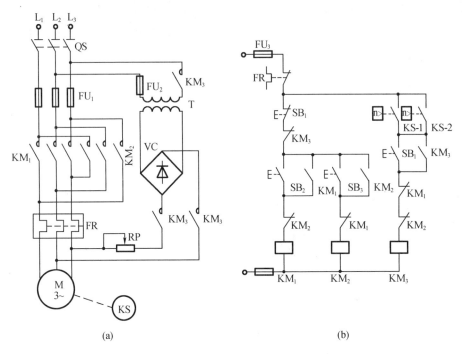

图 2 – 16 速度原则控制电动机可逆运行能耗制动电路
（a）主电路;（b）控制电路

（2）电路的工作原理

①启动控制 合上电源开关 QS,按下启动按钮 SB_2（或 SB_3）→KM_1（或 KM_2）通电吸合并自锁→其主触头闭合,M 实现正向（或反向）全压启动并运行。当 M 的转速上升至 140 r/min 时,KS 的 KS – 1（或 KS – 2）闭合,为耗能制动做准备。

②制动控制 停车时,按下停止按钮 SB_1,其常闭触头断开→KM_1（或 KM_2）断电,其主触头断开→切除 M 定子绕组三相电源。当 SB_1 常开触头闭合时→KM_3 通电并自锁,其主触头闭合→M 定子绕组加直流电源进行能耗制动,M 转速迅速下降,当转速下降至 100 r/min 时,KS 返回,KS – 1（或 KS – 2）复位断开→KM_3 断电返回→其主触头断开切除 M 的直流电源,能耗制动结束。电动机可逆运行能耗制动也可采用时间原则,用时间继电器取代速度继电器,同样能达到制动的目的。对于负载转矩较为稳定的电动机,能耗制动时采用时间原则控制为宜。对于那些能够通过传动机构来反映电动机转速时,采用速度原则控制较为

合适。

3. 无变压器单管能耗制动控制

（1）电路的组成

上述能耗制动电路均需一套整流装置和整流变压器，为简化能耗制动电路，减少附加设备，在制动要求不高、电动机功率在 10 kW 以下时，可采用无变压器的单管能耗制动电路。它是采用无变压器的单管半波整流器作为直流电源。这种电源体积小、成本低，其原理图如图 2 - 17 所示。其整流电源电压为 220 V，它由制动接触器 KM$_2$ 主触头接至电动机定子两相绕组，并由另一相绕组经整流二极管 VD 和电阻 R 接到零线，构成回路。

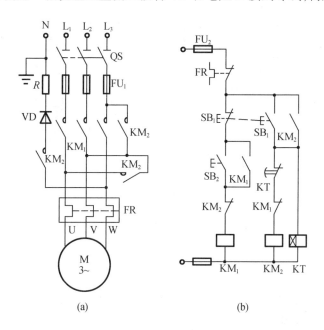

图 2 - 17　电动机无变压器单管能耗制动电路
（a）主电路；（b）控制电路

（2）电路的工作原理

该电路的工作原理与图 2 - 15 相似，请读者自己分析。

典型任务 4　船舶电动机调速控制的调试

由三相异步电动机转速 $n = 60f_1(1 - s)/p$ 可知，三相异步电动机的调速方法：变磁极对数、变转差率和变频调速三种。式中：n 为异步电动机转速，f_1 为电源频率，$s = (n_1 - n)/n_1$ 为转差率，p 为磁极对数。

变极调速一般仅适用于三相笼型异步电动机，变转差率调速可通过调节定子电压、改变转子电路中的电阻以及采用串级调速实现。在绕线转子异步电动机转子回路串接附加电动势的调速方法称为串级调速。变频调速是现代电气传动的一个主要发展方向，已广泛应用于工业自动控制中。

2.4.1 三相异步电动机变极调速控制

1. 变极调速电动机的接线方式

变极式电动机是通过改变半相绕组的电流方向来改变磁极对数。图 2-18、图 2-19 为常用的两种接线图,即△—YY 和 Y—YY。

（1）△—YY 连接

如图 2-18 所示,连接成△形时,将 U_1、V_1、W_1 端接电源,U_2、V_2、W_2 端悬空;连接成 YY 形时,将 U_1、V_1、W_1 端连接在一起,将 U_2、V_2、W_2 端接电源。

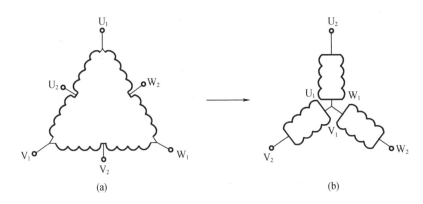

图 2-18 △—YY 连接双速电动机三相绕组连接图

（a）△连接；（b）YY 连接

（2）Y—YY 连接

如图 2-19 所示,连接成 Y 形时,将 U_1、V_1、W_1 端接电源,U_2、V_2、W_2 端悬空;连接成 YY 形时,将 U_1、V_1、W_1 端连接在一起,将 U_2、V_2、W_2 端接电源。

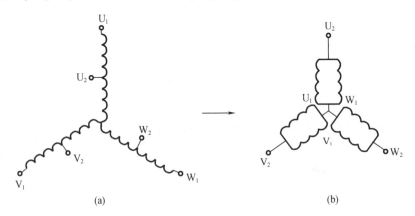

图 2-19 Y—YY 连接双速电动机三相绕组连接图

（a）Y 连接；（b）YY 连接

2. 三相异步双速电动机变极调速控制

（1）电路的组成

图 2-20 为双速电动机变极调速控制原理图。图中 KM_1 为电动机△形连接接触器,

KM$_2$、KM$_3$ 为电动机 YY 形连接接触器,KT 为电动机低速换高速时间继电器,SA 为高、低速选择开关,其有三个位置,"左"位为低速,"右"位为高速,"中间"位为停止。

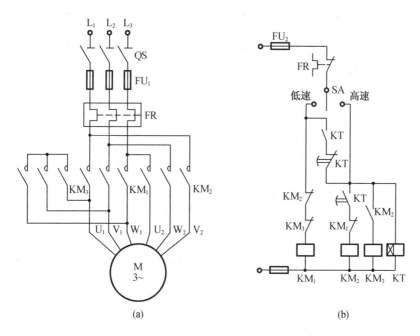

图 2 - 20　双速电动机变极调速控制电路
(a)主电路;(b)控制电路

(2)电路的工作原理

合上电源开关 QS,将选择开关打向"左"低速位时,KM$_1$ 线圈通电,其主触头闭合,将电动机定子绕组接成△形做低速启动并运行。当将选择开关打向"右"高速位时,通电延时型时间继电器 KT 线圈通电并开始延时,其瞬动触头闭合,KM$_1$ 线圈通电,其互锁触头断开,主触头闭合,电动机定子绕组接成△形做低速启动,当 KT 延时时间到,其延时断开的常闭触头断开,延时闭合的常开触头闭合,KM$_1$ 线圈断电后,其主触头断开,电动机定子绕组短时断电,KM$_1$ 互锁触头闭合,KM$_2$、KM$_3$ 线圈相继通电,其互锁触头断开后,主触头闭合,电动机定子绕组接成 YY 形并接入三相电源做高速运行。即电动机实现低速启动高速运行。

注意:△—YY 形连接的双速电动机,启动时只能在△形连接下低速启动,而不能在 YY 形连接下高速启动。另外为保证电动机转向不变,转化成 YY 形连接时应使电源调相,否则电动机将反转。图 2 - 23 中电动机引出线时已做调整。

2.4.2　三相异步电动机变频调速控制

交流电动机变频调速是近 20 年来发展起来的新技术,随着电力电子技术和微电子技术的迅速发展,交流调速系统已进入实用化、系统化,采用变频器的变频装置已获得广泛应用。由三相异步电动机转速公式:$n = (1-s)60f_1/p_1$,只要连续改变电动机交流电源的频率 f_1,就可实现连续调速。交流电源的额定频率 $f_{1N} = 50$ Hz,所以变频调速有额定频率以下调速和额定频率以上调速两种。

1. 额定频率以下的调速

当电源频率 f_1 在额定频率以下调速时,电动机转速下降,但在调节电源频率的同时,必须同时调节电动机的定子电压 U_1,且始终保持 $U_1/f_1 =$ 常数,否则电动机无法正常工作。这是因为三相异步电动机定子绕组相电压 $U_1 \approx E_1 = 4.44f_1N_1K_1\Phi_{\mathrm{m}}$,当 f_1 下降时,若 U_1 不变,则必使电动机每极磁通 Φ_{m} 增加,在电动机设计时,Φ_{m} 位于磁路磁化曲线的膝部,Φ_{m} 的增加将进入磁化曲线饱和段,使磁路饱和,电动机空载电流剧增,使电动机负载能力变小,而无法正常工作。所以,在频率下调的同时应使电动机定子相电压随之下降,并使 $U_1'/f_1' = U_{1N}/f_{1N} =$ 常数。可见,电动机额定频率以下的调速为恒磁通调速,由于 Φ_{m} 不变,调速过程中电磁转矩 $T = C_1\Phi_{\mathrm{m}}I_2s\cos\Phi_2$ 不变,属于恒磁通调速。

2. 额定频率以上的调速

当电源频率 f_1 在额定频率以上调速时,电动机的定子相电压是不允许在额定相电压以上调节的,否则会危及电动机的绝缘。所以,电源频率上调时,只能维持电动机定子额定相电压 U_{1N} 不变。于是,随着 f_1 升高 Φ_{m} 将下降,但 n 上升,故属于恒功率调速。

典型任务5　船用异步电动机单向点动与连续运行控制的安装

2.5.1　任务目的

1. 熟悉各电器元件结构、型号规格、工作原理、安装方法及其在电路中所起的作用。
2. 练习电动机控制电路的接线步骤和安装方法。
3. 加深对三相笼型异步电动机单向点动与连续运行控制电路工作原理的理解。

2.5.2　任务设备与器材

本实训项目所需设备、器材见表 2 - 1。

表 2 - 1　实训所需设备、器材

代号	名称	型号	数量	备注
QS	低压开关	DZ108 - 20/10 - F	1	
FU$_1$	熔断器	RT18 - 32/3P	1	熔芯 3A
FU$_2$	熔断器	RT18 - 32/3P	1	熔芯 2A
KM	交流接触器	LC1 - D0610Q5N	1	
FR	热继电器	LR2 - D1305N	1	整定值 0.63A
	热继电器座	JRS1D - 25 座	1	
SB$_1$	按钮开关	LAY16 红色	1	
SB$_2$	按钮开关	LAY16 绿色	1	
SB$_3$	按钮开关	LAY16 绿色	1	
M	三相鼠笼式异步电动机	WDJ26	1	

2.5.3　任务内容与步骤

1. 认真阅读实训电路,理解电路的工作原理。实训电路如图 2-21 所示。

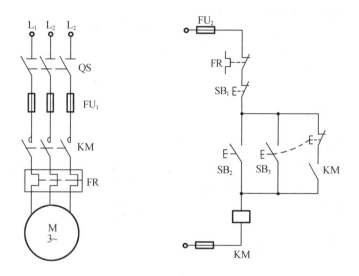

图 2-21　三相异步电动机单向点动与连续运行控制电路

2. 认识和检查电器。认识本实训所需电器,了解各电器的工作原理和各种电器的安装与接线,检查电器是否完好;熟悉各种电器型号、规格。

3. 电路安装

(1)在电气原理图上标线号。

(2)根据原理图画出安装接线图,电器、线槽位置摆放要合理。

(3)安装电器与线槽。

(4)根据安装接线图正确接线,先接主电路,后接控制电路。主电路导线截面视电动机容量而定,控制电路导线截面通常采用 1 mm^2 的铜线,主电路与控制电路导线需采用不同颜色进行区分。导线要走线槽,接线端需套号码管,线号要与原理图一致。

4. 检查电路

电路接线完毕,首先清理板面杂物,进行自查,确认无误后请老师检查,得到允许方可通电试车。

5. 通电试车

(1)合上电源开关 QS,接通电源,按下启动按钮 SB$_2$,观察接触器 KM 的动作情况和电动机启动情况。

(2)按下停止按钮 SB$_1$,观察电动机的停止情况,重复按 SB$_2$ 与 SB$_1$,观察电动机运行情况。

(3)按下点动按钮 SB$_3$,观察 KM 动作与电动机的运行情况,看其是否可以实现点动控制。

(4)观察电路过载保护的作用,可以采用手动的方式断开热继电器 FR 的常闭触头,进行试验。

(5)通电过程中若出现异常现象,应切断电源,分析故障现象,并报告老师。检查故障并排除后,经老师允许继续进行通电试车。

6.结束实训

实训完毕后,首先切断电源,确保在断电情况下进行拆除连接导线和电器元件,清点实训设备与器材交老师检查。

2.5.4   任务分析

1.试车时,有无出现异常现象,其原因是什么?

2.按下启动按钮 SB_2,电动机启动后,松开 SB_2,电动机仍能继续运行,而按下点动按钮 SB_3,电动机启动后若松开 SB_3,电动机将停止,试说明其原因。

3.电路中已安装了熔断器,为什么还要用热继电器,是否重复?

2.5.5   任务报告与考核要求

1.实训报告要求

(1)画出三相异步电动机单向点动与连续运行控制原理图及安装接线图,并分析其动作原理。

(2)分析具有自锁的正转控制电路的失电压(或零电压)与欠电压保护作用。

(3)将实训分析的结论写在实训报告上。

2.考核要求

(1)在规定时间内能正确安装电路,且试运转成功。

(2)安装工艺达到基本要求,线头长短适当、接触良好。

(3)文明安全操作,没有安全事故。

典型任务6   船用异步电动机正、反转控制的安装

2.6.1   任务目的

1.掌握三相笼型异步电动机可逆运行电路的连接方法。

2.理解可逆控制电路电气、机械互锁的原理。

3.掌握可逆运行电路常见故障的排除方法。

2.6.2   任务设备与器材

本实训项目所需设备、器材见表2-2。

表 2 – 2 实训所需设备、器材

代号	名称	型号	数量	备注
QS	低压开关	DZ108 – 20/10 – F	1	
FU$_1$	熔断器	RT18 – 32/3P	1	装熔芯 3A
FU$_2$	熔断器	RT18 – 32/3P	1	装熔芯 2A
KM$_1$、KM$_2$	交流接触器	LC1 – D0610Q5N	2	线圈 AC380V
FR	热继电器	JRS1D – 25/Z(0.63 – 1A)	1	
	热继电器座	JRS1D – 25 座	1	
SB$_1$	按钮开关	LAY16	1	红色
SB$_2$、SB$_3$	按钮开关	LAY16	2	绿色
M	三相鼠笼异步电动机	WDJ26(380 V/△)	1	

2.6.3 任务内容与步骤

1. 认真阅读实训电路,理解电路的工作原理。实训电路如图 2 – 22 所示。

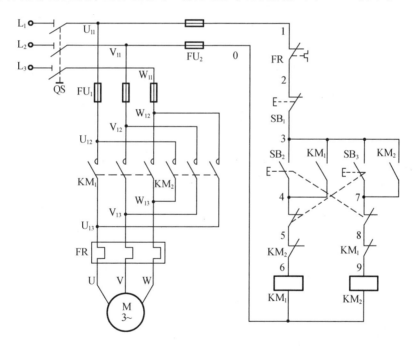

图 2 – 22 三相笼型异步电动机可逆运行控制电路

2. 检查元器件

检查各电器是否完好,查看各电器型号、规格,明确使用方法。

3. 电路安装

(1)在电气原理图上标线号。

(2)根据原理图画出安装接线图,电器、线槽位置摆放要合理。

(3)安装电器与线槽。

(4)根据安装接线图正确接线,先接主电路,后接控制电路。主电路导线截面视电动机容量而定,控制电路导线截面通常采用 1 mm² 的铜线,主电路与控制电路导线需采用不同颜色进行区分。导线要走线槽,接线端需套号码管,线号要与原理图一致。

4. 检查电路

电路接线完毕,首先清理板面杂物,进行自查,确认无误后请老师检查,得到允许方可通电试车。

5. 通电试车

(1)正反转运行。合上电源开关 QS,分别按 SB_2、SB_3,观察电动机正反转运行情况,按 SB_1 停机。

(2)电气互锁、机械互锁控制的试验。同时按下 SB_2 和 SB_3,接触器 KM_1 和 KM_2 均不能通电,电动机不转。按下正转启动按钮 SB_2,电动机正向运行,再按反转启动按钮 SB_3,电动机从正转变为反转。

(3)电动机不宜频繁持续由正转变为反转和反转变为正转,故不宜频繁持续操作 SB_2 和 SB_3。

(4)通电过程中若出现异常现象,应立即切断电源,分析故障现象,并报告老师。检查故障并排除后,经老师允许方可继续通电试车。

6. 结束实训

实训完毕后,首先切断电源,确保在断电情况下进行拆除连接导线和电器元件,清点实训设备与器材交老师检查。

2.6.4 任务分析

1. 按下正、反转按钮,若电动机旋转方向不改变,原因可能是什么?

2. 若频繁持续操作 SB_2 和 SB_3,会产生什么现象,为什么?

3. 同时按下 SB_2 和 SB_3,会不会引起电源短路,为什么?

4. 当电动机正常正向或反向运行时,轻按一下反向启动按钮 SB_3 或正向启动按钮 SB_2,不将按钮按到底,电动机运行状态如何,为什么?

2.6.5 任务报告与考核要求

1. 实训报告要求

(1)说明联锁的含义。

(2)分析双重联锁的正反转控制电路的工作原理,说明这种电路的方便性和安全可靠性。

2. 考核要求

(1)在规定的时间内能正确安装电路,且试运转成功。

(2)安装工艺达到基本要求,接点牢靠、接触良好。

(3)文明安全操作,没有安全事故。

典型任务 7　船用异步电动机 Y - △减压启动控制的安装

2.7.1　任务目的

1. 掌握三相笼型异步电动机 Y—△减压启动控制电路的连接方法,从而进一步理解电路的工作原理和特点。

2. 了解时间继电器的结构、工作原理及使用方法。

3. 进一步熟悉安装接线工艺。

4. 熟悉三相笼型异步电动机 Y—△减压启动控制电路调试及常见故障的排除方法。

2.7.2　任务设备与器材

本实训项目所需设备、器材见表 2 - 3。

表 2 - 3　实训所需设备、器材

代号	名称	型号	数量	备注
QS	低压开关	DZ108 - 20/10 - F	1	
FU$_1$	熔断器	RT18 - 32/3P	1	装熔芯 3A
FU$_2$	熔断器	RT18 - 32/3P	1	装熔芯 2A
KM、KM$_1$、KM$_2$	交流接触器	LC1 - D0610Q5N	3	
FR	热继电器	JRS1D - 25/Z(0.63 - 1A)	1	
	热继电器座	JRS1D - 25 座	1	
KT	时间继电器	ST3PA - B(0～60S)/380 V	1	
	时间继电器方座	PF - 083A	1	
SB$_2$	按钮开关	LAY16	1	绿色
SB$_1$	按钮开关	LAY16	1	红色
M	三相鼠笼异步电机	WDJ26	1	380 V/△

2.7.3　任务内容与步骤

1. 认真阅读实训电路,理解电路的工作原理。实训电路如图 2 - 23 所示。

2. 检查元器件

检查各电器是否完好,查看各电器型号、规格,明确使用方法。

3. 电路安装

(1)在电气原理图上标线号。

(2)根据原理图画出安装接线图,电器、线槽位置摆放要合理。

(3)安装电器与线槽。

(4)根据安装接线图正确接线,先接主电路,后接控制电路。主电路导线截面视电动机

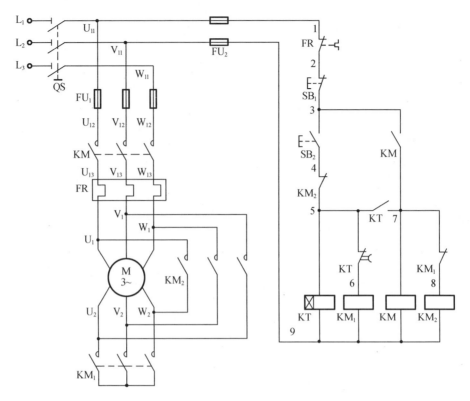

图 2 - 23   三相笼型异步电动机 Y—△减压启动控制电路

容量而定,控制电路导线截面通常采用 1 mm^2 的铜线,主电路与控制电路导线需采用不同颜色进行区分。导线要走线槽,接线端需套号码管,线号要与原理图一致。

4. 检查电路

电路接线完毕,首先清理板面杂物,进行自查,确认无误后请老师检查,得到允许方可通电试车。

5. 通电试车

(1)合上电源开关 QS,按下启动按钮 SB$_2$,观察接触器动作顺序及电动机减压启动的过程。启动结束后,按下停止按钮 SB$_1$ 电动机停转。

(2)调整时间继电器 KT 的延时时间,观察电动机启动过程的变化。

(3)通电过程中若出现异常情况,应立即切断电源,分析故障现象,并报告老师。检查故障并排除后,经老师允许方可继续进行通电试车。

6. 结束实训

实训完毕后,首先切断电源,确保在断电情况下进行拆除连接导线和电器元件,清点实训设备与器材交老师检查。

2.7.4   任务分析

(1)试验时,有无出现异常现象,其原因是什么?

(2)时间继电器在电路中的作用是什么?请设计一个断电延时继电器控制 Y—△减压启动控制的电路。

（3）若电路在启动过程中，不能从 Y 接法切换到 △ 接法，电路始终处在 Y 接法下运行，试分析故障原因。

2.7.5　任务报告与考核要求

1. 实训报告要求

（1）画出三相笼型异步电动机 Y—△ 减压启动控制原理图及安装接线图，并分析其动作原理。

（2）说明原理图中采用了那些保护环节及自锁和互锁控制。

（3）将实训分析的内容写在实训报告上。

2. 考核要求

（1）在规定时间内能正确安装电路，且试运转成功。

（2）安装工艺达到基本要求，线头长短适当、接触良好。

（3）遵守安全规程，做到文明生产。

典型任务8　船用异步电动机能耗制动控制的安装

2.8.1　任务目的

1. 掌握三相笼型异步电动机能耗制动控制电路的连接方法，从而进一步理解电路的工作原理和特点。

2. 熟悉三相笼型异步电动机能耗制动控制电路的调试和常见故障的排除。

2.8.2　任务设备与器材

本实训项目所需设备、器材见表 2 - 4。

表 2 - 4　实训所需设备、器材

代号	名称	型号	数量	备注
QS	低压开关	DZ108 - 20/10 - F	1	
FU₁	熔断器	RT18 - 32/3P	1	装熔芯 3A
FU₂	熔断器	RT18 - 32/3P	1	装熔芯 2A
KM₁、KM₂、KM₃	交流接触器	LC1 - D0610Q5N	3	线圈 AC380V
FR	热继电器	JRS1D - 25/Z(0.63 - 1A)	1	
	热继电器座	JRS1D - 25 座	1	
KT	时间继电器	ST3PA - B(0～60S)/380 V	1	
	时间继电器方座	PF - 083A	1	
SB₁	按钮开关	LAY16	1	红色
SB₂、SB₃	按钮开关	LAY16	1	绿色
M	三相鼠笼异步电动机	WDJ26	1	380 V/△
V	二极管	1N5408	1	在控制屏上
R	电阻	10 Ω/25 W	1	

2.8.3 任务内容与步骤

1. 认真阅读实训电路,理解电路的工作原理。实训电路如图 2 – 24 所示。

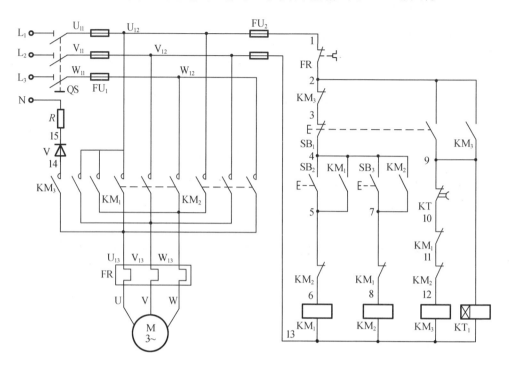

图 2 – 24 三相笼型异步电动机能耗制动电气控制电路(时间原则)

2. 检查元器件

检查各电器是否完好,查看各电器型号、规格,明确使用方法。

3. 电路安装

(1)在电气原理图上标线号。

(2)根据原理图画出安装接线图,电器、线槽位置摆放要合理。

(3)安装电器与线槽。

(4)根据安装接线图正确接线,先接主电路,后接控制电路。主电路导线截面视电动机容量而定,控制电路导线截面通常采用 1 mm² 的铜线,主电路与控制电路导线需采用不同颜色进行区分。接线时要分清二极管的正负极和二极管的安装接线方式。导线要走线槽,接线端需套号码管,线号要与原理图一致。

4. 检查电路

电路接线完毕,首先清理板面杂物,进行自查,确认无误后请老师检查,得到允许方可通电试车。

5. 通电试车

(1)在直流回路中串入直流电流表,需注意电流表的正负极不能接错。

(2)合上电源开关,按下停止按钮 SB_1,使 KM_1 通电,观察电流表并调节变阻器 RP,使制动直流电流为电动机额定电流的 1.5 倍。

(3)切断电源,拆除电流表,使电路恢复原状。

（4）重新接通电源，按下 SB_2，使电动机启动、运行。

（5）按下停止按钮 SB_1，观察电动机制动效果。调节时间继电器的延时，使电动机在停机后能及时切断制动电源。

（6）减小和增大时间继电器的延时时间，观察电路在制动时会出现什么情况；减小和增大变阻器的阻值，同样观察电路在制动时出现的情况。

（7）通电过程中若出现异常情况，应立即切断电源，分析故障现象，并报告老师。检查故障并排除后，经老师允许方可继续进行通电试车。

6.结束实训

实训完毕后，首先切断电源，确保在断电情况下进行拆除连接导线和电器元件，清点实训设备与器材交老师检查。

2.8.4　任务分析

1.通电试验时，有无出现故障，为什么，是如何排除的？

2.时间继电器延时时间的改变对制动效果有什么影响，为什么？

3.能耗制动与反接制动比较，各有什么特点？

2.8.5　任务报告与考核要求

1.实训报告要求

（1）说明能耗制动的含义。

（2）总结实训中出现的异常现象，写出本次实训的收获和体会。

2.考核要求

（1）在规定的时间内能正确安装电路，且试运转成功。

（2）安装工艺达到基本要求，接点牢靠、接触良好。

（3）文明安全操作，没有安全事故。

【小结】

本部分主要讲述了电气控制的基本规律和三相异步电动机的启动、制动、调速等控制电路，这是电气控制的基础，应熟练掌握。

1.电气控制的基本规律

点动与连续运行控制、可逆运行控制、多地联锁控制、自动往复控制。

2.电动机的启动控制

三相笼型异步电动机启动方法：直接启动、定子绕组串电阻减压启动、Y—△减压启动、自耦变压器减压启动等。三相绕线型异步电动机启动控制方法：转子串电阻、转子串频敏变阻器启动。

3.电动机的制动控制

三相笼型异步电动机的制动方法：能耗制动、反接制动、再生制动。

4.电动机制动控制的控制原则

在电力拖动控制系统中常用的控制原则：时间原则、速度原则、电流原则等。

5.电气控制系统中的保护环节

在控制电路中常用的互锁保护有电气互锁和机械互锁,常用的联锁环节有多地联锁、顺序联锁环节等。

电动机常用的保护环节有短路保护、过电流保护、过载保护、失压和欠压保护及其他保护等。

【思考与习题】

1. 何为电气原理图? 绘制电气原理图的原则是什么?

2. 在电气控制电路中采用低压断路器作电源引入开关,电源电路是否还要用熔断器作短路保护? 控制电路是否还要用熔断器作短路保护?

3. 电动机的点动控制与连续运行控制在控制电路上有何不同? 其关键控制环节是什么? 其主电路又有何区别?(从电动机保护环节设置上分析)

4. 电气原理图中,QS、FU、KM、KA、FR、SB、SQ 分别是什么电器元件的文字符号,它们各有何功能?

5. 何为互锁控制? 实现电动机正反转互锁的方法有哪两种? 它们有何区别?

6. 在接触器正反转控制电路中,若正、反向控制的接触器同时通电,会发生什么现象?

7. 什么叫减压启动? 常用的减压启动方法有哪几种?

8. 电动机在什么情况下应采用减压启动? 定子绕组为 Y 形接法的三相异步电动机能否用 Y—△减压启动,为什么?

9. 分析图 2 - 25 中各控制电路按正常操作时会出现什么现象? 若不能正常工作,加以改进。

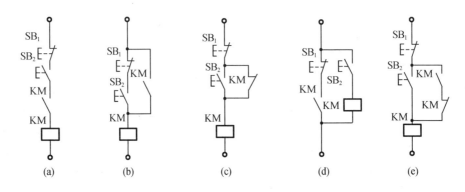

图 2 - 25　题 9 图

10. 试画出某电动机能满足以下控制要求的电气原理图。

(1)可正反转;

(2)可正向点动;

(3)可两地启停。

11. 指出图 2 - 26 所示的 Y—△降压启动控制电路中的错误,并画出正确的电路。

12. 试分析图 2 - 20(b)所示的电路中,当时间继电器 KT 延时时间太短或延时闭合与延时断开的触点接反,电路将出现什么现象?

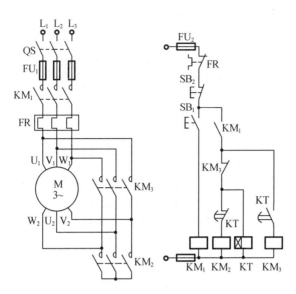

图 2 - 26　题 11 图

13. 两台三相笼型异步电动机 M_1、M_2，要求 M_1 先启动，在 M_1 启动 15 s 后才可以启动 M_2，停止时，M_1、M_2 同时停止。试画出其电气原理图。

14. 两台三相笼型异步电动机 M_1、M_2，要求既可实现 M_1、M_2 的分别启动和停止，又可实现两台电动机的同时停止。试画出其电气原理图。

15. 三台电动机 M_1、M_2、M_3，要求按启动按钮 SB_1 时，按下列顺序启动：$M_1 \rightarrow M_2 \rightarrow M_3$。当停止时，按下停止按钮 SB_2，则按相反的顺序停止，即 $M_3 \rightarrow M_2 \rightarrow M_1$。启动和停止的时间间隔均为 10 s。试画出其电气原理图。

16. 某水泵由一台三相笼型异步电动机拖动，按下列要求设计电气控制电路：

(1) 采用 Y—△减压启动；

(2) 三处控制电动机的启动和停止；

(3) 有短路、过载、欠压保护。

17. 某机床有主轴电动机 M_1、液压泵电动机 M_2，均采用直接启动。生产工艺要求：主轴必须在液压泵启动后方可启动；主轴要求正、反转，但为测试方便，要求能实现正、反向点动；主轴停止后，才允许液压泵电动机停止；电路具有短路、过载、失压保护。试设计电气控制电路。

18. 电动机控制常用的保护环节有哪些？它们各采用什么电器元件？

学习情境3 典型设备的电气控制系统调试

【学习任务概况】

知识目标：熟悉典型机床电气控制系统；了解机床上机械、液压、电气三者之间的配合；掌握各种典型机床电气控制电路的分析和故障排除方法。

能力目标：学会阅读、分析机床电气控制原理图和常见故障诊断、排除的方法、步骤；初步具有从事电气设备安装、调试、运行、维修的能力。

典型任务1 CA6140型车床的电气控制调试

车床是一种应用最为广泛的金属切削机床，主要用来车削外圆、内圆、端面、螺纹和定型表面。除车刀外，还可用钻头、铰刀和镗刀等刀具进行加工。

3.1.1 CA6140型车床的主要结构及控制要求

1. 车床的主要结构

CA6140型车床主要由床身、主轴变速箱、挂轮箱、进给箱、溜板箱、溜板与刀架、尾架、光杠和丝杠等部分组成，如图3－1所示。

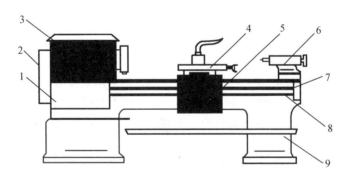

图3－1 CA6140型车床的结构示意图

1—进给箱；2—挂轮箱；3—主轴变速箱；4—溜板与刀架；
5—溜板箱；6—尾架；7—丝杠；8—光杠；9—床身

2. 车床的运动形式

车床的主运动为工件的旋转运动，它是由主轴通过卡盘或顶尖带动工件旋转，其承受车削加工时的主要切削功率。车削加工时，应根据被加工工件材料、刀具种类、工件尺寸、工艺要求等来选择不同的切削速度。这就要求主轴能在相当大的范围内调速，对于普通车床,调速范围一般大于 70。车削加工时,一般不要求反转,但在加工螺纹时,为避免乱扣,要反转退刀,再纵向进刀继续加工,这就要求主轴具有正、反转。

进给运动为刀架的纵向或横向直线运动。刀架的进给运动也是由主轴电动机拖动的,其运动方式有手动和自动两种。在进行螺纹加工时,工件的旋转速度与刀架的进给速度之间应有严格的比例关系,因此,车床刀架的纵向或横向两个方向进给运动是由主轴箱输出轴依次经挂轮箱、进给箱、光杆串入溜板箱而获得的。

辅助运动为刀架的快速移动、尾座的移动以及工件的夹紧与放松等。

3. 车床电力拖动的特点及控制要求

(1)主拖动电动机一般选用三相笼型异步电动机,为满足调速要求,采用机械变速。

(2)为切削螺纹,主轴要求正、反转。一般车床主轴正、反转由拖动电动机正、反转来实现;当主拖动电动机容量较大时,主轴的正、反转则靠摩擦离合器来实现,电动机只做单向旋转。

(3)一般中小型车床的主轴电动机均采用直接启动。当电动机容量较大时,常采用 Y—△减压启动。停车时为实现快速停车,一般采用机械或电气制动。

(4)车削加工时,刀具与工件温度高,需要切削液进行冷却。为此,设有一台冷却泵电动机,拖动冷却泵输出冷却液,且与主轴电动机有联锁关系,即冷却泵电动机应在主轴电动机启动后方可选择启动与否;当主轴电动机停止时,冷却泵电动机便立即停止。

(5)为实现溜板箱的快速移动,由单独的快速移动电动机拖动,采用点动控制。

(6)电路应具有必要的短路、过载、欠压和失压等保护环节,并有安全可靠的局部照明和信号指示。

3.1.2　CA6140 型车床的电气控制电路分析

CA6140 型车床电气原理图如图 3 – 2 所示。

1. 主电路分析

主电路共有三台电动机。M_1 为主轴电动机(位于原理图 3 区),带动主轴旋转和刀架做进给运动;M_2 为刀架快速移动电动机(位于原理图 4 区);M_3 为冷却泵电动机(位于原理图 5 区)。三台电动机容量都小于 10 kW,均采用直接启动,皆为接触器控制的单向运行电路。三相交流电源通过开关 QS 引入,M_1 由接触器 KM_1 控制其启停,FR_1 作为过载保护。M_2 由接触器 KM_3 控制其启停,因 M_2 为短时工作,所以未设过载保护。M_3 由接触器 KM_2 控制器启停,FR_2 作为过载保护。熔断器 $FU_1 \sim FU_5$ 分别对主电路、控制电路和辅助电路实现短路保护。

2. 控制电路分析

控制电路的电源为控制变压器 TC 次级输出 220 V 电压。

(1)主轴电动机 M_1 的控制采用了具有过载保护全压启动控制的典型环节。按下启动按钮 SB_2→接触器 KM_1 得电吸合→其辅助动合触头 KM_1(5 – 6)闭合自锁,KM_1 的主触头闭合→主轴电动机 M_1 启动;同时其辅助动合触头 KM_1(7 – 9)闭合,作为 KM_2 得电的先决条件。按下停止按钮 SB_1→接触器 KM_1 断电释放→电动机 M_1 停转。

(2)冷却泵电动机 M_3 的控制采用两台电动机 M_1、M_3 顺序联锁控制的典型环节,以满足生产要求,使主轴电动机启动后,冷却泵电动机才能启动;当主轴电动机停止运行时,冷

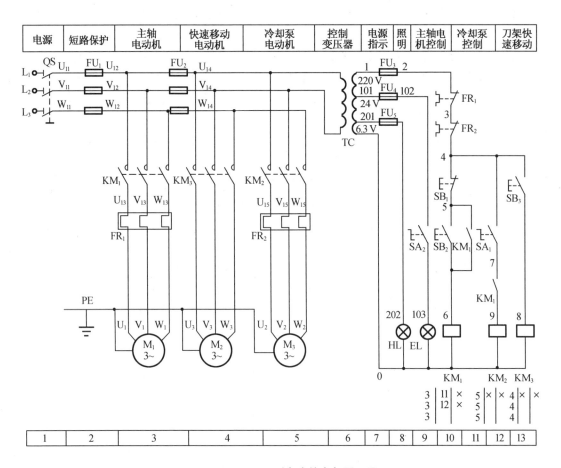

图3-2　CA6140型车床的电气原理图

却泵电动机也自动停止运行。主轴电动机 M_1 启动后,即在接触器 KM_1 得电吸合的情况下,其辅助动合触头 KM_1 闭合,因此合上开关 SA_1,使接触器 KM_2 线圈得电吸合,冷却泵电动机 M_3 才能启动。

(3)刀架快速移动电动机 M_2 的控制采用点动控制。按下按钮 $SB_3 \rightarrow KM_3$ 得电吸合→其主触头闭合→对 M_2 电动机实施点动控制。电动机 M_2 经传动系统,驱动溜板带动刀架快速移动。松开 $SB_3 \rightarrow KM_3$ 断电释放→电动机 M_2 停转。

3.照明与信号电路分析

控制变压器 TC 的次级分别输出 24 V、6.3 V 电压,作为机床照明和信号灯的电源。EL 为机床的低压照明灯,由开关 SA_2 控制;HL 为电源的信号灯。

3.1.3　CA6140型车床电气控制电路常见故障分析与检修

1.主轴电动机 M_1 不能启动

首先应检查接触器 KM_1 是否吸合,如果 KM_1 吸合,则故障一定发生在电源电路和主电路上。此故障可按下列步骤检修:

(1)合上电源开关 QS,用万用表测接触器 KM_1 主触头的电源端三相电源相线之间的电压,如果电压是 380 V,则电源电路正常。当测量接触器主触头任意两点无电压时,则故障是电源开关 QS 接触不良或连线断路。修复措施:查明损坏原因,更换相同规格或型号的电源开关及连接导线。

(2)断开电源开关,用万用表电阻 $R \times 1$ 挡测量接触器输出端之间的电阻值,如果电阻值较小且相等,说明所测电路正常;否则,依次检查 FR_1、M_1 以及它们之间的连线。修复措施:查明损坏原因,修复或更换同规格、同型号的热继电器 FR_1、电动机 M_1 及其之间的连接导线。

(3)检查接触器 KM_1 主触头是否良好,如果接触不良或烧毛,则更换动、静触头或相同规格的接触器。

(4)检查电动机机械部分是否良好,如果电动机内部轴承等损坏,应更换轴承;如果外部机械有问题,可配合机修钳工进行维修。

2.主电动机 M_1 启动后不自锁

当按下启动按钮 SB_2 时,主轴电动机启动运转,但松开 SB_2 后,M_1 随之停止。造成这种故障的原因是接触器 KM_1 的自锁触头接触不良或连接导线松脱。

3.主轴电动机 M_1 不能停车

造成这种故障的原因多是接触器 KM_1 的主触头熔焊,停止按钮 SB_1 击穿或电路中4、5两点连接导线短路,接触器铁芯表面粘牢污垢。可采用下列方法判明是哪种原因造成电动机 M_1 不能停车:若断开 QS,接触器 KM_1 释放,则说明故障为 SB_1 击穿或导线短路;若接触器过一段时间释放,则故障为铁芯表面粘牢污垢;若断开 QS,接触器 KM_1 不释放,则故障为主触头熔焊。根据具体故障采取相应措施修复。

4.主轴电动机在运行中突然停车

这种故障的主要原因是由于热继电器 FR_1 动作。发生这种故障后,一定要找出热继电器 FR_1 动作的原因,排除后才能使其复位。引起热继电器 FR_1 动作的原因可能是:三相电源电压不平衡,电源电压较长时间过低,负载过重以及 M_1 的连接导线接触不良等。

5.刀架快速移动电动机不能启动

首先检查 FU_1 熔丝是否熔断,其次检查接触器 KM_3 触头的接触是否良好,若无异常或按下 SB_3,接触器 KM_3 不吸合,则故障一定在控制电路中。这时依次检查 FR_1、FR_2 的常闭触头、点动按钮 SB_3 及接触器 KM_3 的线圈是否有断路现象即可。

典型任务2　M7120型平面磨床的电气控制调试

磨床是用砂轮的周边或端面进行加工的精密机床。砂轮的旋转是主运动,工件或砂轮的往复运动为进给运动,而砂轮架的快速移动及工作台的移动为辅助运动。磨床的种类很多,按其工作性质可分为外圆磨床、内圆磨床、平面磨床、工具磨床以及一些专用磨床。其中以平面磨床应用最为广泛。

3.2.1　M7120型平面磨床的主要结构及控制要求

1.平面磨床的主要结构

图3-3为M7120型平面磨床结构示意图。在箱型床身1中装有液压传动装置,工作台2通过活塞杆10由油压驱动做往复运动,床身导轨有自动润滑装置进行润滑。工作台表

面有 T 形槽,用以固定电磁吸盘,再用电磁吸盘来吸持加工工件。工作台往复运动的行程长度可通过调节装在工作台正面槽中的撞块 8 的位置来改变。换向撞块 8 是通过碰撞工作台往复运动换向手柄 9 来改变油路方向,以实现工作台往复运动的。

在床身上固定有立柱 7,沿立柱 7 的轨道上装有滑座 6,砂轮箱 4 能沿滑座的水平导轨做横向移动。砂轮轴由装入式砂轮电动机直接拖动。在滑座内部往往也装有液压传动机构。滑座可在立柱导轨上做上下垂直移动,并可由垂直进刀手轮 11 操作。砂轮箱能沿滑座水平导轨做横向移动,它可由横向移动手轮 5 操纵,也可由液压传动做连续或间断移动。连续移动用于调节砂轮位置或修整砂轮,间断移动用于进给。

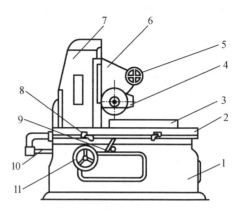

图 3 - 3   M7120 型平面磨床结构示意图

1—床身;2—工作台;3—电磁吸盘;4—砂轮箱;
5—砂轮箱横向移动手轮;6—滑座;7—立柱;8—
工作台换向撞块;9—工作台往复运动换向手柄;
10—活塞杆;11—砂轮箱垂直进刀手轮

2. 平面磨床的运动形式

平面磨床运动示意图见图 3 - 4。砂轮的旋转运动是主运动。进给运动有垂直进给,即滑座在立柱上的上下运动;横向进给,即砂轮箱在滑座上的水平运动;纵向进给,即工作台沿床身的往复运动。工作台每完成一次往复运动时,砂轮箱便做一次间断性的横向进给;当加工完整个平面后,砂轮箱作一次间断性的垂直进给。

辅助运动是指砂轮箱在滑座水平导轨上做快速横向移动,滑块沿立柱上的垂直导轨做快速垂直移动,以及工作台往复运动速度的调整运动等。

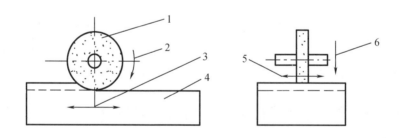

图 3 - 4   矩形工作台平面磨床工作图

1—砂轮;2—主运动;3—纵向进给运动;4—工作台;5—横向进给运动;6—垂直进给运动

3. M7120 平面磨床的电力拖动特点及控制要求

(1)M7120 型平面磨床采用分散拖动,液压泵电动机、砂轮电动机、砂轮箱升降电动机和冷却泵电动机全部采用普通笼型交流异步电动机。

(2)磨床的砂轮、砂轮箱升降和冷却泵不要求调速,换向是通过工作台上的撞块碰撞床身上的液压换向开关来实现的。

(3)为减少工件在磨削加工中的热变形并冲走磨屑,以保证加工精度,需要冷却泵。

（4）为适应磨削小工件的需要，也为工件在磨削过程受热能自由伸缩，采用电磁吸盘来吸持工件。

（5）砂轮电动机、液压泵电动机、冷却泵电动机只进行单方向旋转，并采用直接启动。

（6）砂轮箱升降电动机要求能正反转，冷却泵电动机与砂轮电动机具有顺序联锁关系，在砂轮电动机启动后才可开起冷却泵电动机。

（7）无论电磁吸盘工作与否，均可开动各电动机，以便进行磨床的调整运动，具有完善的保护环节和工件退磁环节及机床照明电路。

3.2.2 M7120 型平面磨床的电气控制电路分析

M7120 型平面磨床的电气原理图如图 3 - 5 所示。原理图由主电路、控制电路和照明及信号电路三部分组成。

1. 主电路分析

液压泵电动机 M_1，由接触器 KM_1 控制；砂轮电动机 M_2 与冷却泵电动机 M_3，同由接触器 KM_2 控制；砂轮升降电动机 M_4 分别由 KM_3、KM_4 控制其升降。

四台电动机共用 FU_1 作为短路保护，M_1、M_2、M_3 分别由热继电器 FR_1、FR_2、FR_3 作长期过载保护。由于砂轮升降电动机 M_4 做短时运行，故不设置过载保护。

2. 电动机控制电路分析

（1）液压泵电动机 M_1 的控制

其控制电路位于 6、7 区，由按钮 SB_1、SB_2 与接触器 KM_1 构成对液压泵电动机 M_1 单向旋转启动 - 停止控制，启停过程如下：

按下 SB_2→KM_1 线圈通电并自锁→KM_1 主触头闭合→M_1 启动运行。停止时按下 SB_1→KM_1 线圈断电→M_1 断电停转。

（2）砂轮电动机 M_2 和冷却泵电动机 M_3 的控制

其控制电路位于 8、9 区，由按钮 SB_3、SB_4 与接触器 KM_2 构成对砂轮电动机 M_2 和冷却泵电动机 M_3 单向旋转运动启动 - 停止控制，其启停控制如下：

按下 SB_4→KM_2 线圈通电并自锁→KM_2 主触头闭合→M_2、M_3 同时启动。若按下 SB_3→KM_2 线圈断电→M_2、M_3 同时断电停转。

（3）砂轮升降电动机 M_4 的控制

其控制区位于 10、11 区，分别由 SB_5、KM_3 和 SB_6、KM_4 构成的单向点动控制，其启停控制如下：

①砂轮箱上升（M_4 正转） 按下 SB_5→KM_3 线圈通电→KM_3 主触头闭合→M_4 正转，砂轮箱上升。当上升到预定位置，松开 SB_5→KM_3 线圈断电→M_4 停转。

②砂轮箱下降（M_4 反转） 按下 SB_6→KM_4 线圈通电→KM_4 主触头闭合→M_4 反转，砂轮箱下降。当下降到预定位置，松开 SB_6→KM_4 线圈断电→M_4 停转。

3. 电磁吸盘控制电路分析

（1）电磁吸盘构造及原理

电磁吸盘外形有长方形和圆形两种。矩形平面磨床采用长方形电磁吸盘。电磁吸盘结构与工作原理如图 3 -6 所示。

图中 1 为钢制吸盘体，在它的中部凸起的芯体 A 上绕有线圈 2，钢制盖板 3 被隔磁层 4

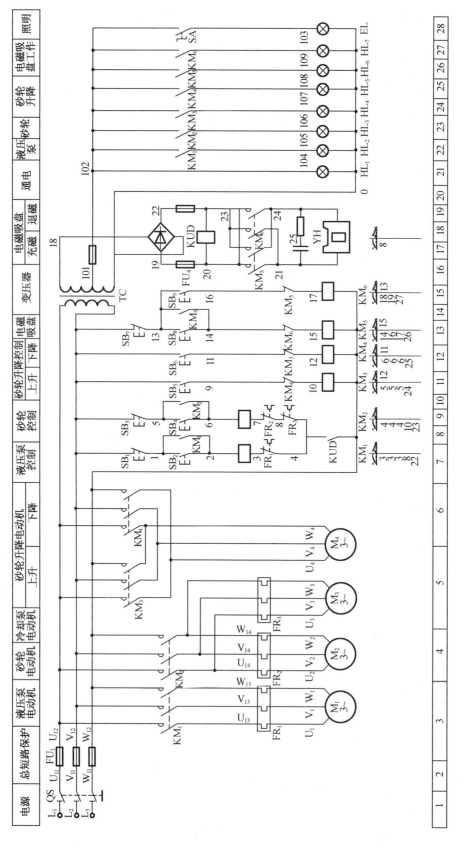

图3－5 KH-M7120型平面磨床电气原理图

隔开。在线圈 2 中通入直流电流,芯体将被磁化,磁力线经由盖板、工件、盖板、吸盘体、芯体闭合,将工件 5 牢牢吸住。盖板中的隔磁层由铅、铜、黄铜及巴氏合金等非磁性材料制成,其作用是使磁力线通过工件再回到吸盘体,不致直接通过盖板闭合,以增强对工件的吸持力。

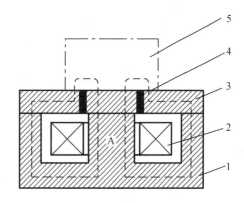

图 3-6   电磁吸盘结构与工作原理
1—钢制吸盘体;2—线圈;
3—钢制盖板;4—隔磁板;5—工件

(2)电磁吸盘控制电路

它由整流装置、控制装置及保护装置等部分组成,位于 12~18 区。

①整流装置   电磁吸盘整流装置由整流变压器 T 与桥式全波整流器 VD 组成,输出 110 V 直流电压对电磁吸盘供电。

②控制部分   控制部分由接触器 KM$_5$、KM$_6$ 的各两对主触头组成。

当要使电磁吸盘具有吸力时,可按下 SB$_8$,其控制过程如下:

$$按下 SB_8 \longrightarrow KM_5 线圈通电并自锁 \begin{cases} \longrightarrow KM_5 主触头闭合 \longrightarrow 电磁吸盘 YH 通电 \\ \longrightarrow KM_5 辅助常闭触头分断 \longrightarrow 对 KM_6 互锁 \end{cases}$$

当工件加工完毕需取下时,按下 SB$_7$→KM$_5$ 线圈断电→KM$_5$ 主触头断开→电磁吸盘 YH 断电。但工作台与工件留有剩磁,需进行去磁。按下 SB$_9$,使 YH 线圈通入反向电流,产生反向磁场。去磁过程如下:

$$按下 SB_9 \longrightarrow KM_6 线圈通电并自锁 \begin{cases} \longrightarrow KM_6 主触头闭合 \longrightarrow 电磁吸盘 YH 通电 \\ \longrightarrow KM_6 辅助常闭触头分断 \longrightarrow 对 KM_5 互锁 \end{cases}$$

应当指出,去磁时间不能太长,否则工作台和工件会反向磁化,故 SB$_9$ 为点动控制。

(3)电磁吸盘保护环节   电磁吸盘具有欠电压保护、过电压保护及短路保护等。

①欠电压保护   当电源电压不足或整流变压器发生故障时,吸盘的吸力不足,在加工过程中,会使工件高速飞离而造成事故。为防止这种情况发生,在电路中设置了欠电压继电器 KV,其线圈并联在电磁吸盘电路中,常开触头串联在 KM$_1$、KM$_2$ 线圈回路中,当电源电压不足或为零时,KV 常开触头断开,使 KM$_1$、KM$_2$ 线圈断电,液压泵电动机 M$_1$ 和砂轮电动机 M$_2$ 停转,实现欠压和失压的保护,以保证安全。

②过电压保护   电磁吸盘匝数多,电感大,通电工作时储有大量磁场能量。当线圈断电时,两端将产生过电压,若无放电回路,将使线圈绝缘及其他电器设备损坏。为此,在线圈两端接有 *RC* 放电回路以吸收断开电源后放出的磁场能量。

短路保护在整流变压器二次侧或整流装置输出端装有熔断器作为电磁吸盘控制电路的短路保护。

4. 照明及信号电路分析

由信号指示和局部照明电路构成,位于 20~25 区。

EL 为局部照明灯,由变压器 TC 供电,工作电压为 36 V,由 QS_2 控制。各信号灯工作电压为 6.3 V。HL_1 为电源指示灯,HL_2 为 M_1 运行指示灯,HL_3 为 M_2 运行指示灯,HL_4 为 M_4 运行指示灯,HL_5 为电磁吸盘工作指示灯。

3.2.3　M7120 型平面磨床电气控制电路常见故障分析与检修

1. M_1、M_2、M_3 三台电动机都不能启动

造成三台电动机都不能启动的原因是欠电压继电器 KV 的常开触头接触不良、接线松脱或有油垢,使电动机控制电路处于断电状态。检修故障时,检查欠电压继电器 KV 的常开触头 KV(9−2)的接通情况,若不通则修理或更换元件,即可排除故障。

2. 砂轮电动机的热继电器 FR_2 经常脱扣

砂轮电动机 M_2 为装入式电动机,它的前轴承是铜瓦,易磨损。磨损后易发生堵转现象,使电流增大,导致热继电器脱扣。若是这种情况,应修理或更换轴瓦。另外,砂轮进刀量太大,电动机超负荷运行,造成电动机堵转,使电流急剧上升,热继电器脱扣。因此,工作中应选择合适的进刀量,防止电动机超负荷运行。除上述原因之外,更换后的热继电器规格选得太小或整定电流没有调整,使电动机还未达到额定负载时,热继电器就已脱扣。因此,应注意热继电器必须按其被保护电动机的额定电流进行选择和调整。

3. 电磁吸盘没有吸力

首先用万用表检查三相电源电压是否正常。若电源电压正常,再检查熔断器 FU_1、FU_4 有无熔断现象。常见的故障是熔断器 FU_4 熔断,造成电磁吸盘电路断开,使吸盘无吸力。FU_4 熔断可能是由于直流回路短路,或者是直流回路中元器件损坏造成的。如果检查整流器输出空载电压正常,而接上电磁吸盘后,输出电压下降不大,欠电压继电器 KV 不动作,吸盘无吸力,这时,可依次检查电磁吸盘 YH 的线圈、接插器 XS_1 有无短路或接触不良的现象。检修故障时,可使用万用表测量各点的电压,查出故障元件,进行检修或更换,即可排除故障。

4. 电磁吸盘吸力不足

引起这种故障的原因是电磁吸盘损坏或整流器输出电压不正常。M7120 型平面磨床电磁吸盘的电源电压由整流器 VD 供给。空载时,整流器直流输出电压应为 130 ~ 140 V,负载时不应低于 110 V。若整流器输出电压正常,带负载时电压远低于 110 V,则表明电磁吸盘已短路,短路点多发生在各绕组间的引线接头处。这是由于吸盘密封不好,冷却液流入,引起绝缘损坏,造成线圈短路。若短路严重,过大的电流会使整流元件和整流变压器烧坏。出现这种故障,必须更换电磁吸盘线圈,并且要处理好线圈绝缘,安装时要完全密封好。

若电磁吸盘电源电压不正常,多是因为整流元件短路或断路造成的。应检查整流器 VD 的交流侧电压及直流侧电压。若交流侧电压正常,直流输出电压不正常,则表明整流器发生元件短路或断路故障。如某一桥臂的整流二极管发生断路,将使整流输出电压降低到额定电压的一半;若两个相邻的二极管都断路,则输出电压为零。整流元件损坏的原因可能是元件过热或过电压造成的。如由于整流二极管热容量很小,在整流器过载时,元件温度急剧上升,烧坏二极管;当放电电阻 R 损坏或接线断路时,由于电磁吸盘线圈电感很大,在断开瞬间产生过电压将整流元件击穿。排除此类故障时,可用万用表测量整流器的输出及输入电压,判断出故障部位,查出故障元件,进行修理或更换即可。

5. 电磁吸盘退磁不好使工件取下困难

电磁吸盘退磁不好的原因:一是退磁电路断路,根本没有退磁,应检查接触器 KM_6 的两

对主轴头是否良好,熔断器 FU₄ 是否损坏;二是退磁时间太长或太短,对于不同材质的工件,所需的退磁时间不同,应注意掌握好退磁时间。

典型任务 3　Z3040 型摇臂钻床的电气控制调试

钻床是一种用途较广的万能机床,可以用来钻孔、扩孔、铰孔、攻螺纹及修刮端面等多种形式的加工。钻床按用途和结构可分为立式钻床、台式钻床、多轴钻床、深孔钻床、卧式钻床及其他专用钻床等。在各类钻床中,摇臂钻床操作方便、灵活,适用范围广,具有典型性。下面以 Z3040 型摇臂钻床为例,分析其电气控制。

3.3.1　Z3040 型摇臂钻床的主要结构及控制要求

1. 摇臂钻床的主要结构

图 3 - 7 是 Z3040 型摇臂钻床的外形图。它主要由底座、内立柱、外立柱、摇臂、主轴箱、工作台等组成。内立柱固定在底座上,在它外面套着空心的外立柱,外立柱可绕着内立柱回转一周,摇臂一端的套筒部分与外立柱滑动配合,借助于丝杆,摇臂可沿着外立柱上下移动,但两者不能做相对移动,所以摇臂将与外立柱一起相对内立柱回转。主轴箱是一个复合的部件,它具有主轴及主轴旋转部件和主轴进给的全部变速和操纵机构。主轴箱可沿着摇臂上的水平导轨做径向移动。当进行加工时,可利用特殊的夹紧机构将外立柱紧固在内立柱上,摇臂紧固在外立柱上,主轴箱紧固在摇臂导轨上,然后进行钻削加工。

2. 摇臂钻床的运动形式

主运动:主轴的旋转。进给运动:主轴的轴向进给。即钻头一面旋转一面做轴向进给。此时主轴箱夹紧在摇臂的水平导轨上,摇臂与外立柱夹紧在内立柱上。辅助运动:摇臂沿外立柱的上下垂直移动;主轴箱沿摇臂水平导轨的径向移动;摇臂与外立柱一起绕内立柱的回转运动。

3. 摇臂钻床的电力拖动特点及控制要求

(1)由于摇臂钻床的运动部件较多,为简化传动装置,使用多电机拖动,主电动机承担主钻削及进给任务,摇臂升降及其夹紧放松、立柱夹紧放松和冷却泵各用一台电动机拖动。

(2)为了适应多种加工方式的要求,主轴及进给应在较大范围内调速。但这些调速都是机械调速,用手柄操作变速箱调速,对电动机无任何调速要求。从结构上看,主轴变速机构与进给变速机构应该放在一个变速箱内,而且两种运动由一台电动机拖动是合理的。

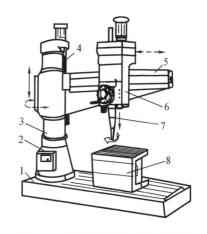

图 3 - 7　Z3040 摇臂钻床的外形图

1—底座;2—内立柱;3—外立柱;
4—摇臂升降丝杆;5—摇臂;
6—主轴箱;7—主轴;8—工作台

(3)加工螺纹时要求主轴能正反转。摇臂钻床的正反转一般用机械方法实现,电动机只需单方向旋转。

(4)为了实现主轴箱、内外立柱和摇臂的夹紧与放松,要求液压泵电动机正反转。

(5)要求有必要的联锁与保护环节,并有安全可靠的局部照明和信号指示。

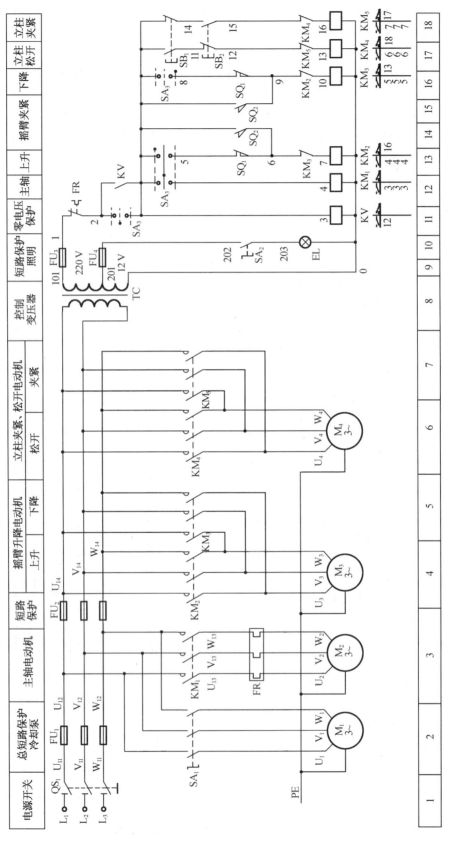

图3-8　Z3040型摇臂钻床电气原理图

3.3.2　Z3040 型摇臂钻床的电气控制电路分析

Z3040 摇臂钻床的电气原理图如图 3－8 所示。M_1 为主轴电动机,M_2 为摇臂升降电动机,M_3 为液压泵电动机,M_4 为冷却泵电动机,QS 为电源总开关。

主轴箱上装有四个按钮 SB_2、SB_1、SB_3、SB_4 分别是主轴电动机 M_1 启、停钮,摇臂上升、下降按钮。主轴箱转盘上的两个按钮 SB_5、SB_6 分别为主轴箱及立柱松开按钮和夹紧按钮。转盘为主轴箱左右移动手柄,操纵杆则操纵主轴的垂直移动,两者均可手动。主轴也可机动进给。

1. 主电路分析

M_1 为单向旋转,由接触器 KM_1 控制,主轴的正反转则由机床液压系统操作机构配合正、反转摩擦离合器实现,并由热继电器 FR_1 作电动机长期过载保护。

M_2 由正、反转接触器 KM_2、KM_3 控制实现正反转。控制电路保证在操纵摇臂升降时,首先使液压泵电动机启动旋转,供出压力油,经液压系统将摇臂松开,然后才使电动机 M_2 启动,拖动摇臂上升或下降。当移动到位后,保证 M_2 先停下,再自动通过液压系统将摇臂夹紧,最后液压泵电动机才停下。M_2 为短时工作,不设长期过载保护。

M_3 由接触器 KM_4、KM_5 实现正反转控制,并由热继电器 FR_2 作长期过载保护。

M_4 电动机容量小,仅 0.125 kW,由开关 SA_1 控制其启停。

2. 控制电路分析

控制电路的电源由变压器 T 将交流电压 380 V 降为 110 V 提供。指示灯电源电压为 6.3 V。

(1)主轴电动机的控制

按下启动按钮 SB_2 → KM_1 线圈通电吸合并自锁 → KM₁主触头闭合 → M_1 启动运行
　　　　　　　　　　　　　　　　　　　　　　　 → KM₁辅助常开触头闭合 → HL_3 亮

按下停止按钮 SB_1 → KM_1 线圈断电释放 → KM_1 主触头断开 → M_1 断电停转,同时 HL_3 熄灭。

(2)摇臂升降控制

摇臂通常处于夹紧状态,使丝杆免受载荷。在控制摇臂升降时,除升降电动机 M_2 需转动外,还需要摇臂夹紧机构、液压系统协调配合,完成夹紧→松开→夹紧动作。工作过程如下:

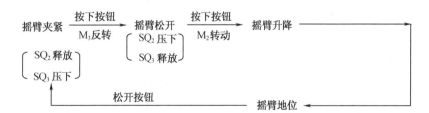

M_3 正转,M_2 停转。

(SQ_2 压下是 M_2 转动的指令,SQ_3 压下是夹紧的标志)

①摇臂松开阶段:按下摇臂上升按钮 SB_3(不松开),时间继电器 KT 线圈通电动作。其

过程为：

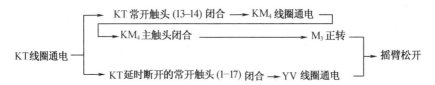

②摇臂上升：摇臂夹紧机构松开后，行程开关 SQ_3 释放，SQ_2 压下。其过程如下：

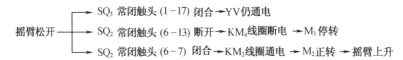

③摇臂上升到位：松开按钮 SB_3，摇臂又夹紧。其过程为：

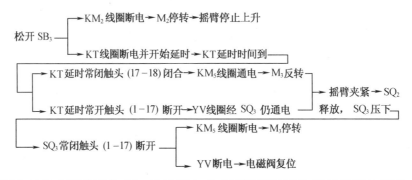

原理图中的组合限位开关 SQ_1 是摇臂上升或下降至极限位置时的保护开关。SQ_1 与一般限位开关不同，其两对常闭触头不同时动作。其作用是当摇臂上升或下降到极限位置时被压下，其常闭触头断开，使 KM_2 或 KM_3 线圈断电释放，M_2 停转不再带动摇臂上升或下降，防止碰坏机床。摇臂下降控制电路的工作原理分析与摇臂上升控制电路相似，只是要按下按钮 SB_4，请读者仿照上升控制电路自行分析。

（3）主轴箱和立柱松开与夹紧的控制

由松开按钮 SB_5 和夹紧按钮 SB_6 控制的正反转点动控制实现的。这里以夹紧机构松开为例，分析控制电路的工作原理。当机构处于夹紧状态时，行程开关 SQ_4 被压下，夹紧指示灯 HL_2 亮。按下 SB_5→KM_4 线圈通电→KM_4 主触头闭合→M_3 正转。由于 SB_5 常闭触头断开，使 YV 线圈不能通电。

液压油供给主轴箱、立柱两夹紧机构，推动夹紧机构使主轴箱和立柱松开；SQ_4 释放，指示灯 HL_1 亮，表示主轴箱和立柱松开，而夹紧指示灯 HL_2 熄灭。松开 SB_5→KM_4 线圈断电释放→M_3 停转。

3. 照明及信号电路分析

机床局部照明灯 EL，由控制变压器 T 提供 24 V 安全电压，由手动开关 SA_2 控制。信号指示灯 $HL_1 \sim HL_3$，由控制变压器 T 二次侧提供的另一 AC6.3V 电压供电，HL_1 为主轴箱与立柱松开指示灯，灯亮表示已松开，可以手动操作主轴箱沿摇臂移动或推动摇臂回转。HL_2 为主轴箱与立柱夹紧指示灯，灯亮表示已夹紧，可以进行钻削加工。HL_3 为主轴旋转工作指示灯。

3.3.3　Z3040 型摇臂钻床电气控制电路常见故障分析与检修

摇臂钻床电气控制的核心部分是摇臂升降、立柱和主轴箱的夹紧与松开。Z3040 型摇臂钻床的工作过程是由电气、机械以及液压系统紧密配合实现的。因此,在维修中不仅要注意电气部分是否正常工作,而且也要注意它与机械和液压部分的协调关系。

1. 摇臂不能升降

由摇臂升降过程可知,升降电动机 M_2 运行,带动摇臂升降,其条件是使摇臂从立柱上完全松开后,活塞杆压合位置开关 SQ_2。所以发生故障时,应首先检查位置开关 SQ_2 是否动作,如果 SQ_2 不动作,常见故障是 SQ_2 的安装位置移动或已损坏。这样,摇臂虽已放松,但活塞杆压不上 SQ_2,摇臂就不能升降。有时,液压系统发生故障,使摇臂放松不够,也会压不上 SQ_2,使摇臂不能运动。由此可见,SQ_2 的位置非常重要,排除故障时,应配合机械、液压调整好后紧固。

另外,电动机 M_3 电源相序接反时,按下上升按钮 SB_4(或下降按钮 SB_5),M_3 反转,使摇臂夹紧,压不上 SQ_2,摇臂也就不能升降。所以,在钻床大修或安装后,一定要检查电源相序。

2. 摇臂升降后,摇臂夹不紧

由摇臂夹紧的动作过程可知,夹紧动作的结束是由位置开关 SQ_3 来完成。如果 SQ_3 动作过早,使 M_3 尚未充分夹紧就停转。常见的故障原因是 SQ_3 位置安装不合适,或固定螺钉松动造成 SQ_3 移位,使 SQ_3 在摇臂夹紧动作未完成时就被压上,断开 KM_5 线圈回路,M_3 停转。排除故障时,首先判断是液压系统的故障,还是电气系统的故障,对电气部分的故障,应重新调整 SQ_3 的动作距离,固定好螺钉即可。

3. 立柱、主轴箱不能夹紧或松开

立柱、主轴箱不能夹紧或松开的可能原因是液压系统油路堵塞、接触器 KM_4 或 KM_5 不能吸合所致。出现故障时,应检查按钮 SB_5、SB_6 接线情况是否良好。若 KM_4 或 KM_5 能吸合,M_3 能运转,可排除电气部分的故障,则应检查液压系统的油路,以确定是否是油路故障。

4. 摇臂上升或下降限位保护开关失灵

组合限位开关 SQ_1 的失灵分两种情况:一是组合限位开关 SQ_1 损坏,SQ_1 触头不能因开关动作而闭合或接触不良使电路断开,由此使摇臂不能上升或下降;二是组合限位开关 SQ_1 不能动作,触头熔焊,使电路始终处于接通状态,当摇臂上升或下降到极限位置后,摇臂升降电动机 M_2 发生堵转,这时应立即松开 SB_3 或 SB_4。根据上述情况进行分析,找出故障原因,更换或修理失灵的组合开关 SQ_1 即可。

5. 按下 SB_6,立柱、主轴箱能夹紧,但释放后就松开

由于立柱、主轴箱的夹紧和松开机构都采用机械菱形块结构,所以这种故障多为机械原因造成,应进行机械部分的维修。

典型任务 4　XA6132 型卧式万能铣床的电气控制调试

铣床可用来加工平面、斜面、沟槽,安上分度头可以铣切直齿齿轮和螺旋面,安上圆工作台还可铣切凸轮和弧形槽,所以铣床在机械行业的机床设备中占有相当大的比重。铣床按结构型式和加工性能不同,可分为升降台式铣床、龙门铣床、仿形铣床和各种专用铣床

等,其中又以卧式和立式万能铣床应用最为广泛。下面以 XA6132 型卧式万能铣床为例,分析中小型铣床的电气控制原理及故障分析。XA6132 型卧式万能铣床可用各种圆柱铣刀、圆片铣刀、角度铣刀、成型铣刀和端面铣刀,如果使用万能铣头、圆工作台、分度头等铣床附件,还可以扩大机床加工范围,因此 XA6132 型卧式万能铣床是一种通用机床。在金属切削机床中使用数量仅次于车床。

3.4.1　XA6132 型卧式万能铣床的主要结构及控制要求

1. XA6132 型卧式万能铣床的主要结构

XA6132 型万能铣床主要由底座、床身、主轴、悬梁、刀杆支架、工作台、溜板和升降台等几部分组成,如图 3 - 9 所示。箱形的床身 13 固定在底座 1 上,在床身内装有主轴传动机构和主轴变速机构。在床身的顶部有水平导轨,其上装着带有一个或两个刀杆支架 8 的悬梁 9。刀杆支架用来支承安装铣刀心轴的一端,而心轴的另一端固定在主轴上。在床身的前方有垂直导轨,一端悬持的升降台 3 可沿垂直导轨做上下移动,升降台上装有进给传动机构和进给变速机构。在升降台上

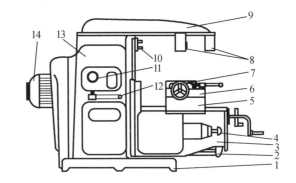

图 3 - 9　XA6132 型卧式万能铣床结构示意图
1—底座;2—进给电动机;3—升降台;4—进给变速手柄及变速盘;5—溜板;6—转动部分;7—工作台;8—刀架支杆;9—悬梁;10—主轴;11—主轴变速盘;12—主轴变速手柄;13—床身;14—主轴电动机

面的水平导轨上,装有溜板 5,溜板在其上做平行主轴轴线方向的运动(横向移动),从图 3 - 9 所示的工作台主视图角度看是前后运动。溜板上方装有可转动部分 6,卧式铣床与卧式万能铣床的唯一区别在于后者设有转动部分,而前者没有转动部分。转动部分对溜板可绕垂直轴线转动一个角度(通常为 ±45°)。在转动部分上又有导轨,导轨上安放有工作台 7,工作台在转动部分的导轨上做垂直于主轴轴线方向的运动(纵向移动,又称左右运动)。这样工作台可在上下、前后、左右 3 个互相垂直方向上均可运动,再加上转动部分可对溜板垂直轴线方向移动一个角度,这样工作台还能在主轴轴线倾斜方向运动,从而完成铣螺旋槽的加工。为扩大铣削能力,还可以在工作台上安装圆工作台。

2. XA6132 型卧式万能铣床的运动形式

XA6132 型卧式万能铣床的运动形式有主运动、进给运动及辅助运动。主轴带动铣刀的旋转运动为主运动;工件夹持在工作台上在垂直于铣刀轴线方向做直线运动称为进给运动,包括工作台上下、前后、左右 3 个互相垂直方向上的进给运动;而工件与铣刀相对位置的调整运动即工作台在上下、前后、左右 3 个互相垂直方向上的快速直线运动及工作台的回转运动为辅助运动。

3. XA6132 型卧式万能铣床的电力拖动特点及控制要求

(1)XA6132 型卧式万能铣床,主轴传动系统在床身内部,进给系统在升降台内,而且主运动与进给运动之间没有速度比例协调的要求,故采用单独传动,即主轴和工作台分别由主轴电动机和进给电动机拖动。而工作台进给与快速移动由进给电动机拖动;经电磁离合

器传动来获得。

（2）主轴电动机处于空载下启动，为能进行顺铣和逆铣加工，要求主轴能实现正、反转，但旋转方向不需经常变换，仅在加工前预选主轴旋转方向。为此，主轴电动机应能正、反转，并由转向选择开关来选择电动机的转向。

（3）铣削加工是多刀多刃不连续切削，负载波动。为减轻负载波动的影响，往往在主轴传动系统中加入飞轮，使转动惯量加大，但为实现主轴快速停车，主轴电动机应设有停车制动。同时，主轴在上刀时，也应使主轴制动。为此该铣床采用电磁离合器控制主轴停车制动和主轴上刀制动。

（4）工作台的垂直、横向和纵向 3 个方向的运动由一台进给电动机拖动，而 3 个方向的选择是由操纵手柄改变传动链来实现的。每个方向又有正反向的运动，这就要求进给电动机能正、反转。而且，同一时间只允许工作台只有一个方向的移动，故应有联锁保护。

（5）使用圆工作台时，工作台不得移动，即圆工作台的旋转运动与工作台上下、左右、前后 6 个方向的运动之间有联锁控制。

（6）为适应铣刀加工需要，主轴转速与进给速度应有较宽的调节范围。XA6132 型万能铣床采用机械变速，改变变速箱的传动比来实现，为保证变速时齿轮易于啮合，减少齿轮端面的冲击，要求变速时电动机有冲动控制。

（7）根据工艺要求，主轴旋转和工作台进给应有先后顺序控制，即进给运动要在铣刀旋转之后才能进行。加工结束必须在铣刀停转前停止进给运动。

（8）为供给铣削加工时冷却液，应有冷却泵电动机拖动冷却泵，供给冷却液。

（9）为适应铣削加工时操作者的正面与侧面操作要求，机床应对主轴电动机的启动与停止及工作台的快速移动控制，具有两地操作的性能。

（10）工作台上下、左右、前后 6 个方向的运动应具有限位保护。

（11）电路应具有必要的短路、过载、欠压和失压等保护环节，并有安全可靠的局部照明电路。

3.4.2　电磁离合器

XA6132 型卧式万能铣床主轴电动机停车制动、主轴上刀制动以及进给系统的工作台进给和快速移动皆由电磁离合器来实现。电磁离合器又称电磁联轴节。它是利用表明摩擦和电磁感应原理，在两个做旋转运动的物体间传递转矩的执行电器。由于它便于远距离控制，控制能量小，动作迅速、可靠，结构简单，广泛应用于机床的电气控制。铣床上采用的是摩擦片式电磁离合器。

摩擦片式电磁离合器按摩擦片的数量可分为单片式和多片式两种，机床上普遍采用多片式电磁离合器，其结构如图 3－10 所示。在主动轴 1 的花链轴端，装有主动摩擦片 6，它可以轴向自由移动，但因是花链连接，故将随同主动轴一起转动。从动摩擦片 5 与主动摩擦片交替叠装，其外缘凸起部分卡在与从动齿轮 2 固定在一起的套筒 3 内，因而可以随从动齿轮转动，并在主动轴转动时它可以不转。当线圈 8 通电后产生磁场，将摩擦片吸向铁芯 9，衔铁 4 也被吸住，紧紧压住各摩擦片。于是，依靠主动摩擦片与从动摩擦片之间的摩擦力，使从动齿轮随主动轴转动，实现转矩的传递。当电磁离合器线圈电压达到额定值的 85% ～105% 时，离合器就能可靠地工作。当线圈断电时，装在内外摩擦片之间的圈状弹簧使衔铁和摩擦片复原，离合器便失去传递转矩的作用。

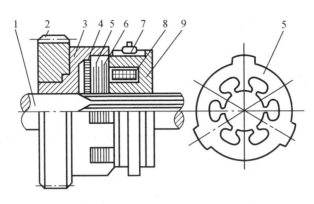

图 3 - 10　多片式摩擦电磁离合器结构示意图

1—主动轴;2—从动齿轮;3—套筒;4—衔铁;5—从动摩擦片;

6—主动摩擦片;7—电刷与集电环;8—线圈;9—铁芯

3.4.3　XA6132 型卧式万能铣床的电气控制电路分析

XA6132 型卧式万能铣床的电气控制原理图如图 3 - 11 所示。图中 M_1 为主轴电动机, M_2 为工作台进给电动机, M_3 为冷却泵电动机。该电路的突出特点是:一是采用电磁离合器控制;二是机械操作与电气开关动作密切配合进行。因此,在分析电气控制原理图之前应对机械操作手柄与相应电气开关的动作关系,各开关的作用以及各开关的状态都应作一一了解。如 SQ_1、SQ_2 为与纵向机构操作手柄有机械联系的纵向进给行程开关; SQ_3、SQ_4 为与垂直、横向机构操作手柄有机械联系的垂直、横向行程开关, SQ_5 为主轴变速冲动开关, SQ_6 为进给变速冲动开关, SA_1 为冷却泵选择开关, SA_2 为主轴上刀制动开关, SA_3 为圆工作台转换开关, SA_4 为主轴电动机转向预选开关等,然后再分析电路。

1. 主电路分析

三相交流电源由低压断路器 QF 控制。主轴电动机 M_1 由接触器 KM_1、KM_2 控制实现正反转,过载保护由 FR_1 实现。进给电动机 M_2 由接触器 KM_3、KM_4 控制实现正反转, FR_2 作过载保护, FU_1 作短路保护。冷却泵电动机 M_3 容量只有 0.125 kW,由中间继电器 KA_3 控制,单向旋转,由 FR_3 作过载保护。整个电气控制电路由 QF 作过电流保护、过载保护以及欠压、失压保护。

2. 控制电路分析

控制变压器 T_1 将交流 380 V 变换为交流 110 V,供给控制电路电源,由 FU_2 作短路保护。整流变压器 T_2 将交流 380 V 变换为交流 28 V,再经桥式全波整流成 24 V 直流电,作为电磁离合器电路电源,由 FU_3、FU_4 作整流桥交流侧、直流侧短路保护。照明变压器 T_3 将交流 380 V 变换成 24 V 交流电压,作为局部照明电源。

(1)主拖动控制电路分析

①主轴电动机的启动控制　主轴电动机 M_1 由接触器 KM_1、KM_2 来实现正、反转全压启动,由主轴换向开关 SA_4 来预选电动机的正、反转。由停止按钮 SB_1 或 SB_2,启动按钮 SB_3 或 SB_4 与 KM_1、KM_2 构成主轴电动机正、反转两地操作控制电路。启动时,应将电源引入低压断路器 QF 闭合,再把换向开关 SA_4 拨到主轴所需的旋转方向,然后按下启动按钮 SB_3 或 SB_4 →中间继电器 KA_1 线圈通电并自锁→触头 KA_1(12—13)闭合→ KM_1 或 KM_2 线圈通电

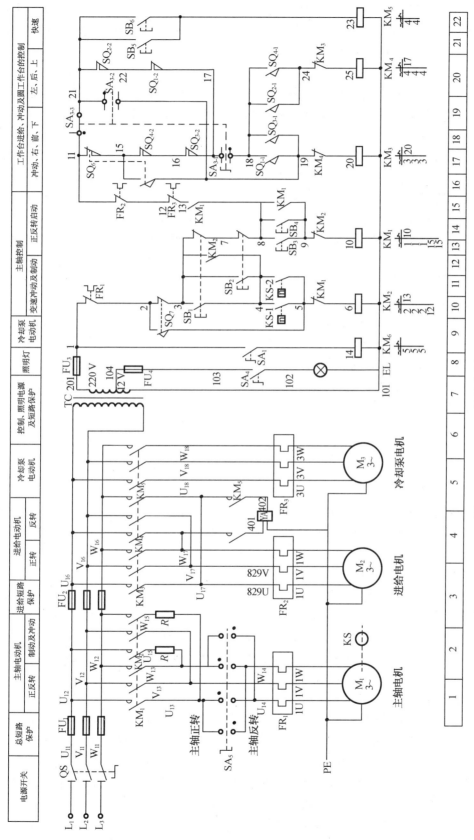

图 3－11　XA6132 万能铣床电气原理图

吸合→其主触头闭合→主轴电动机 M_1 定子绕组接通三相交流电源实现全压启动。而 KM_1 或 KM_2 的一对辅助常闭触头 KM_1（104—105）或 KM_2（105—106）断开→主轴电动机制动电磁离合器 YC_1 电路断开。继电器的另一触头 KA_1（20—12）闭合，为工作台的进给与快速移动做好准备。

②主轴电动机的制动控制　由主轴停止按钮 SB_1 或 SB_2，正转接触器 KM_1 或反转接触器 KM_2 以及主轴制动电磁离合器 YC_1 构成主轴制动停车控制环节。电磁离合器 YC_1 安装在主轴传动链中与主轴电动机相连的第一根传动轴上，主轴停车时，按下 SB_1 或 SB_2→KM_1 或 KM_2 线圈断电释放→其主触头断开→主轴电动机 M_1 断电；同时 KM_1（104—105）或 KM_2（105—106）复位闭合→YC_1 线圈通电，产生磁场，在电磁吸力作用下将摩擦片压紧产生制动→主轴迅速制动。当松开 SB_1 或 SB_2→YC_1 线圈断电→摩擦片松开，制动结束。这种制动方式迅速、平稳，制动时间不超过 0.5 s。

③主轴上刀换刀时的制动控制　在主轴上刀或更换铣刀时，主轴电动机不得旋转，否则将发生严重的人身事故。为此，电路设有主轴上刀制动环节，它是由主轴上刀制动开关 SA_2 控制。在主轴上刀换刀前，将 SA_2 扳到"接通"位置→其常闭触头 SA_2（7—8）先断开→主轴启动控制电路断电→主轴电动机不能启动旋转；而常开触头 SA_2（106—107）后闭合→主轴制动电磁离合器 YC_1 线圈通电→主轴处于制动状态。上刀换刀结束后，再将 SA_2 扳至"断开"位置→触头 SA_2（106—107）先断开→解除主轴制动状态。而触头 SA_2（7—8）复位闭合，为主电动机启动作准备。

④主轴变速冲动控制　主轴变速操纵箱装在床身左侧窗口上，变换主轴转速的操作顺序（见图 3 – 11）如下：

a. 将主轴变速手柄 12 压下，将手柄的榫块自槽中滑出，然后拉动手柄，使榫块落到第二道槽内为止。

b. 转动变速刻度盘 11，把所需转速对准指针。

c. 把手柄推回原来位置，使榫块落进槽内。

在将变速手柄推回原来位置时，将瞬时压下主轴变速行程开关 SQ_5→触头 SQ_5（8—10）断开、触头 SQ_5（8—13）闭合→KM_1 线圈瞬时通电吸合→其主触头瞬间接通→主轴电动机作瞬时点动，利于齿轮啮合。当变速手柄榫块落入槽内时 SQ_5 不再受压→触头 SQ_5（8—13）断开→切断主轴电动机瞬时点动电路→主轴变速冲动结束。

主轴变速行程开关 SQ_5 的常闭触头 SQ_5（8—10）是为主轴旋转时进行变速而设的，此时无须按下主轴停止按钮，只需将主轴变速手柄拉出→压下 SQ_5→其常闭触头 SQ_5（8—10）断开→断开主轴电动机接触器的 KM_1 或 KM_2 线圈电路→电动机自然停车；尔后再进行主轴变速操作，电动机进行变速冲动，完成变速。变速完成后尚需再次启动电动机，主轴将在新选择的转速下启动旋转。

（2）进给拖动控制电路分析

工作台进给方向的左右纵向运动，前后的横向运动和上下的垂直运动，都是由进给电动机 M_2 的正、反转实现的。而正、反转接触器 KM_3、KM_4 是由行程开关 SQ_1、SQ_3 与 SQ_2、SQ_4 来控制的，行程开关又是由两个机械操作手柄控制的。这两个机械操作手柄，一个是纵向机械操作手柄，另一个是垂直与横向操作手柄。扳动机械操作手柄，在完成相应的机械挂挡同时，压合相应的行程开关，从而接通接触器，启动进给电动机，拖动工作台按预定方向运动。在工作进给时，由于快速移动继电器 KA_2 线圈处于断电状态，而进给移动电磁离

合器 YC_2 线圈通电,工作台的运动是工作进给。

纵向机械操作手柄有左、中、右三个位置,垂直与横向机械操作手柄有上、下、前、后、中五个位置。SQ_1、SQ_2 为与纵向机械操作手柄有机械联系的行程开关;SQ_3、SQ_4 为与垂直、横向操作手柄有机械联系的行程开关。当这两个机械操作手柄处于中间位置时,$SQ_1 \sim SQ_4$ 都处于未被压下的原始状态,当扳动机械操作手柄时,将压下相应的行程开关。

SA_3 为圆工作台转换开关,其有"接通"与"断开"两个位置,三对触头。当不需要圆工作台时,SA_3 置于"断开"位置,此时触头 SA_3(24—25),SA_3(19—28)闭合,SA_3(28—26)断开。当使用圆工作台时,SA_3 置于"接通"位置,此时 SA_3(24—25),SA_3(19—28)断开,SA_3(28—26)闭合。

在启动进给电动机之前,应先启动主轴电动机,即合上电源开关 QF,按下主轴启动按钮 SB_3 或 SB_4→中间继电器 KA_1 线圈通电并自锁→其常开触头 KA_1(20—12)闭合→为启动进给电动机做准备。

①工作台纵向进给运动的控制 若需工作台向右工作进给,将纵向进给操作手柄扳向右侧,在机械上通过联动机构接通纵向进给离合器,在电气上压下行程开关 SQ_1→常闭触头 SQ_1(29—24)先断开→切断通往 KM_3、KM_4 的另一条通路;常开触头 SQ_1(25—26)后闭合→进给电动机 M_2 的接触器 KM_3 线圈通电吸合→M_2 正向启动旋转→拖动工作台向右工作进给。向右进给工作结束,将纵向进给操作手柄由右位扳到中间位置,行程开关 SQ_1 不再受压→常开触头 SQ_1(25—26)断开→KM_3 线圈断电释放→M_2 停转→工作台向右进给停止。工作台向左进给的电路与向右进给时相仿。此时是将纵向进给操作手柄扳向左侧,在机械挂挡的同时,电气上压下的是行程开关 SQ_2→反转接触器 KM_4 线圈通电→进给电动机反转→拖动工作台向左进给。当将纵向操作手柄由左侧扳回中间位置时,向左进给结束。

②工作台向前与向下进给运动的控制 将垂直与横向进给操作手柄扳到"向前"位置,在机械上接通了横向进给离合器,在电气上压下行程开关 SQ_3→SQ_3(23—24)断开、SQ_3(25—26)闭合→正转接触器 KM_3 线圈通电吸合→其主触头闭合→进给电动机 M_2 正向启动运行→拖动工作台向前进给。向前进给结束,将垂直与横向进给操作手柄扳回中间位置,SQ_3 不再受压→SQ_3(25—26)断开、SQ_3(23—24)复位闭合→KM_3 线圈断电释放→M_2 停止转动→工作台向前进给停止。工作台向下进给电路工作情况与"向前"时完全相同,只是将垂直与横向操作手柄扳到"向下"位置,在机械上接通垂直进给离合器,电气上仍压下行程开关 SQ_3→KM_3 线圈通电吸合→其主触头闭合→M_2 正转→拖动工作台向下进给。

③工作台向后与向上进给的控制 电路情况与向前和向下进给运动的控制相仿,只是将垂直与横向操作手柄扳到"向后"或"向上"位置,在机械上接通垂直或横向进给离合器,电气上都是压下行程开关 SQ_4→SQ_4(22—23)断开、SQ_4(25—30)闭合→反向接触器 KM_4 线圈通电吸合→其主触头闭合→M_2 反向启动运行→拖动工作台实现向后或向上的进给运动。当操作手柄扳回中间位置时,进给结束。

④进给变速冲动控制 进给变速冲动只有在主轴启动后,纵向进给操作手柄,垂直与横向操作手柄均置于中间位置时才可进行。进给变速箱是一个独立部件,装在升降台的左边,进给速度的变换是由进给操纵箱来控制,进给操纵箱位于进给变速箱前方。进给变速的操作顺序是:

a. 将蘑菇形手柄拉出。

b. 转动手柄,把刻度盘上所需的进给速度值对准指针。

c. 把蘑菇形手柄向前拉到极限位置,此时借变速孔盘推压行程开关 SQ_6。

d. 将蘑菇形手柄推回原位,此时 SQ_6 不再受压。

就在蘑菇形手柄已向前拉到极限位置,且没有被反向推回之时,SQ_6 压下→SQ_6(19—22)断开、SQ_6(22—26)闭合→正向接触器 KM_3 线圈瞬时通电吸合→进给电动机 M_2 瞬时正向旋转,获得变速冲动。如果一次瞬间点动时齿轮仍未进入啮合状态,此时变速手柄不能复原,可再次拉出手柄并再次推回,实现再次瞬间点动,直到齿轮啮合为止。

⑤进给方向快速移动的控制 进给方向的快速移动是由电磁离合器改变传动链来获得的。先开动主轴,将进给操作手柄扳到所需移动方向对应位置,则工作台按操作手柄选择的方向以选定的进给速度做工作进给。此时如按下快速移动按钮 SB_5 或 SB_6→快速移动中间继电器 KA_2 线圈通电吸合→其常闭触头 KA_2(104—108)先断开→切断工作进给离合器 YC_2 线圈支路;常开触头 KA_2(110—109)后闭合→快速移动电磁离合器 YC_3 线圈通电→工作台按原运动方向做快速移动。松开 SB_5 或 SB_6,快速移动立即停止,仍以原进给速度继续进给,所以,快速移动为点动控制。

(3)圆工作台的控制

圆工作台的回转运动是由进给电动机经传动机构驱动的,使用圆工作台时,首先把圆工作台转换开关 SA_3 扳到"接通"位置。按下主轴启动按钮 SB_3 或 SB_4→KA_1、KM_1 或 KM_2 线圈通电吸合→主轴电动机 M_1 启动旋转。接触器 KM_3 线圈经 $SQ_1 \sim SQ_4$ 行程开关的常闭触头和 SA_3 的常开触头 SA_3(25—26)通电吸合→进给电动机 M_2 启动旋转→拖动圆工作台单向回转。此时工作台进给两个机械操作手柄均处于中间位置。工作台不动,只拖动圆工作台回转。

(4)冷却泵和机床照明的控制

冷却泵电动机 M_3 通常在铣削加工时由冷却泵转换开关 SA_1 控制,当 SA_1 扳到"接通"位置→冷却泵启动继电器 KA_3 线圈通电吸合→其常开触头闭合→M_3 启动旋转。FR_3 作为冷却泵电动机 M_3 的长期过载保护。机床照明由照明变压器 TC_3 供给 24 V 安全电压,并由控制开关 SA_5 控制照明灯 EL_1。

(5)控制电路的联锁与保护

①主运动与进给运动的顺序联锁 进给电气控制电路接在中间继电器 KA_1 的常开触头 KA_1(20—12)之后,这就保证了只有在启动主轴电动机 M_1 之后才可启动进给电动机 M_2,而当主轴电动机停止时,进给电动机也立即停止。

②工作台 6 个方向的联锁 铣刀工作时,只允许工作台一个方向的运动。为此,工作台上下、左右、前后 6 个方向之间都有联锁。其中工作台纵向操作手柄实现工作台左右运动方向的联锁;垂直与横向操作手柄实现上下、前后 4 个方向的联锁,但关键在于如何实现这两个操作手柄之间的联锁,为此电路设计成:接线点 22—24 之间由 SQ_3、SQ_4 常闭触头串联组成,28—24 之间由 SQ_1、SQ_2 常闭触头串联组成,然后在 24 号点并接后串于 KM_3、KM_4 线圈电路中,以控制进给电动机正反转。这样,当扳动纵向操作手柄时,SQ_1 或 SQ_2 被压下→其常闭触头断开→断开 28—24 支路,但 KM_3 或 KM_4 仍可经 22—24 支路通电。若此时再扳动垂直与横向操作手柄,又将 SQ_3 或 SQ_4 压下→其常闭触头断开→断开 22—24 支路→KM_3 或 KM_4 线圈支路断开→进给电动机无法启动→实现了工作台 6 个方向之间的联锁。

③长工作台与圆工作台的联锁 圆形工作台的运动必须与长工作台 6 个方向的运动有可靠的联锁,否则将造成刀具与机床的损坏。这里由选择开关 SA_3 来实现其相互间的联

锁,当使用圆工作台时,选择开关 SA_3 置于"接通"位置→其常闭触头 SA_3(24—25)、SA_3(19—28)先断开,常开触头 SA_3(28—26)后闭合→M_2 启动控制接触器 KM_3 经由 $SQ_1 \sim SQ_4$ 常闭触头串联电路接通→M_2 启动旋转→圆工作台运动。若此时又操作纵向或垂直与横向进给操作手柄→压下 $SQ_1 \sim SQ_4$ 中的某一个→断开 KM_3 线圈电路→M_2 立即停止→圆工作台也停止运动。

若长工作台正在运动,扳动圆工作台选择开关 SA_3 于"接通"位置→其常闭触头 SA_3(24—25)断开→KM_3 或 KM_4 线圈支路断开→进给电动机 M_2 也立即停止→长工作台也停止了运动。

④工作台进给运动与快速运动的联锁　工作台工作进给与快速移动分别由电磁离合器 YC_2 与 YC_3 传动,而 YC_2 与 YC_3 是由快速进给继电器 KA_2 控制,利用 KA_2 的常开触头与常闭触头实现工作台工作进给与快速运动的联锁。

⑤具有完善的保护

a.熔断器 $FU_1 \sim FU_5$ 实现相应电路的短路保护。

b.热继电器 $FR_1 \sim FR_3$ 实现相应电动机的长期过载保护。

c.低压断路器 QF 实现整个电路的过电流、欠压、失压等保护。

d.工作台 6 个运动方向的限位保护采用机械与电气相配合的方法来实现,当工作台左、右运动到预定位置时,安装在工作台前方的挡铁将撞动纵向操作手柄,使其从左位或右位返回到中间位置,使工作台停止,实现工作台左右运动的限位保护。在铣床床身导轨旁设置了上、下两块挡铁,当升降台上下运动到一定位置时,挡铁撞动垂直与横向操作手柄,使其回到中间位置,实现工作台垂直运动的限位保护。工作台横向运动的限位保护由安装在工作台左侧底部挡铁来撞动垂直与横向操作手柄,使其回到中间位置实现的。

e.打开电气控制箱门断电的保护　在机床左壁龛上安装了行程开关 SQ_7,SQ_7 常开触头与低压断路器 QF 的失压线圈串联,当打到控制箱门时 SQ_7 触头断开,使低压断路器 QF 失压线圈断电,QF 跳闸,达到开门断电的目的。

3.4.4　XA6132 型卧式万能洗床电气控制电路常见故障分析与检修

1. 主轴停车制动效果不明显或无制动

从工作原理分析,当主轴电动机 M_1 启动时,因 KM_1 或 KM_2 接触器通电吸合,使电磁离合器 YC_1 的线圈处于断电状态,当主轴停车时,KM_1 或 KM_2 接触器断电释放,断开主轴电动机电源,同时 YC_1 线圈经停止按钮 SB_1 或 SB_2 常开触头接通而接通直流电源,产生磁场,在电磁吸力作用下将摩擦片压紧产生制动效果。若主轴制动效果不明显通常是按下停止按钮时间太短,松开过早之故。若主轴无制动,有可能没将制动按钮按到底,致使 YC_1 线圈无法通电,而无法制动。若并非此原因,则可能是整流后输出电压偏低,磁场弱,制动力小引起制动效果差,若主轴无制动也可能是 YC_1 线圈断电而造成。

2. 主轴变速与进给变速时无变速冲动

出现此种故障,多因操作变速手柄压合不上主轴变速开关 SQ_5 或压合不上进给变速开关 SQ_6 之故,造成的原因主要是开关松动或开关移位所致,做相应的处理即可。

3. 工作台控制电路的故障

这部分电路故障较多,如工作台能向左、向右运动,但无垂直与横向运动。这表明进给电动机 M_2 与 KM_3、KM_4 接触器运行正常。但操作垂直与横向手柄却无运动,这可能是手柄扳动后压合不上行程开关 SQ_3 或 SQ_4；也可能是 SQ_1 或 SQ_2 在纵向操作手柄扳回中间位置时不能复原。有时,进给变速冲动开关 SQ_6 损坏,其常闭触头 SQ_6(19—22)闭合不上,也会出现上述故障。

典型任务 5　Z3040 型摇臂钻床的电气控制故障排除

3.5.1　任务目的

1. 熟悉 Z3040 型摇臂钻床电气控制电路的特点,掌握电气控制电路的动作原理,了解钻床摇臂升降、夹紧放松等各运动中行程开关在电路中所起的作用。

2. 了解 Z3040 型摇臂钻床电气控制电路中各电器位置及配线方式,熟悉各电器元件结构、型号规格、安装形式。

3. 能够对钻床进行电气操作,加深对钻床电气控制电路工作原理的理解。

4. 能正确使用万用表、相关电工工具等对电气控制电路进行有针对性的检查、测试和维修,进一步掌握一般机床电气设备的调试、故障分析和排除的方法与步骤。

3.5.2　设备与器材

本实训所需设备、器材见表 3 – 1。

表 3 – 1　实训所需的设备、器材

序号	名称	型号规格	数量	备注
1	Z3040 型摇臂钻床电气控制板	自制	1	所需设备、器材型号规格仅供参考,可根据实训情况自定
2	万用表	MF47 型	1	
3	绝缘电阻表	500 V	1	
4	钳形电流表	T30 – A 型	1	
5	常用电工工具		若干	

3.5.3　任务内容与步骤

1. 认真阅读实训电路原理图,理解其工作原理。Z3040 型摇臂钻床电气原理图,如图 3 – 8 所示。

2. 认识与检查电器

(1)根据电气原理图核对电器元件并记录各种电器型号、规格,查看各电器元件的外观有无破损、零部件是否齐全有效,接线端子及螺钉、垫片等有无缺损现象。

(2)检查熔断器熔体的容量与电动机的容量是否匹配,各主令电器的动作是否灵活,接触器相间隔板有无破损,触头闭合、复位是否灵活。

(3)打开热继电器盖板,观察热元件是否完好,用工具轻轻拨动绝缘导板,注意观察热继电器的常闭触头能否正常分断。

3. 检查电路

从电源端起,遵循先主电路后控制电路的原则,逐级检查电路,并认真检查所有端子接线的牢固程度,用手轻轻摇动、拉拔端子上的接线,有松动的用工具拧紧,避免虚接。必要时可用万用表欧姆挡检查主电路接线是否正确,有无短路、断路等现象。

4. 通电试验

检查后,经老师允许方可进行通电试验。

(1)运行操作

合上电源开关 QS,根据电路工作原理和控制要求逐一对各控制环节进行操作控制,观察各台电动机是否能正常工作。

①主电动机 M_1 的控制。按下启动按钮 SB_2,使接触器 KM_1 通电吸合,信号指示灯 HL_3 亮,主轴电动机 M_1 通电运行。按下停止按钮 SB_1,使接触器 KM_1 断电释放,信号指示灯 HL_3 灭,主轴电动机 M_1 断电停转。

②摇臂升降电动机 M_2 与夹紧放松电动机 M_3 的控制。按下摇臂上升(或下降)启动按钮 SB_3(或 SB_4),观察各电器的动作情况和电动机的运行情况。通电动作顺序是:时间继电器 KT 先通电吸合,其触头动作,使 YV、KM_4 同时通电,液压泵电动机 M_3 通电运行,使摇臂放松,当放松到位时,行程开关 SQ_2 触头动作,使 KM_4 断电,M_3 断电停转。同时上升(或下降)控制的接触器 KM_2(或 KM_3)通电吸合,使升降电动机 M_2 通电运行,拖动摇臂上升(或下降)。当摇臂上升(或下降)到位时,松开启动按钮 SB_3(或 SB_4),则 KM_2(或 KM_3)断电释放,使 M_2 断电停转,摇臂停止升降。与此同时,KT 线圈断电并开始延时,当延时时间达到时,延时闭合的常闭触头闭合使 KM_5 通电吸合,电动机 M_3 反方向通电运行,使摇臂进行夹紧。夹紧到位时,行程开关 SQ_3 动作,其常闭触头断开,使 KM_5、YV 断电,M_3 断电停转。即自动实现摇臂先放松,再升降,最后夹紧的顺序自动过程。

③主轴箱和立柱放松和夹紧的控制。主轴箱和立柱的放松与夹紧是同时进行的。分别先后按下放松按钮 SB_5 和夹紧按钮 SB_6,观察各电器的动作情况、液压泵电动机 M_3 运行情况。注意观察主轴箱和立柱放松与夹紧指示灯 HL_1 和 HL_2 的变化情况。模拟 Z3040 型摇臂钻床各控制环节动作时,要注意各行程开关触头开、闭状态。如摇臂夹紧行程开关 SQ_3,当摇臂夹紧时,SQ_3 的触头是断开状态,实训开始时应将 SQ_3 置于断开状态。

(2)故障诊断

由指导教师设置故障点 2~3 个后,根据故障现象进行分析,通过检测,查找出故障点。报告老师得到确认后,将故障现象、分析原因和检测查找过程填入实训表 3-2。在通电检查时要特别注意安全。

表 3-2 故障分析表

故障	分析原因	检测查找过程

（3）结束实训

实训完毕后,首先切断电源,关好电气柜,清点实训设备与器材、仪表及工具,等老师检查。

3.5.4　任务分析

1.在 Z3040 型摇臂钻床电气原理图中,时间继电器 KT 有何作用? 其延时长短对钻床正常工作有何影响?

2.在 Z3040 型摇臂钻床电气原理图中,时间继电器 KT 与电磁阀 YV 在什么时候动作,YV 动作时间比 KT 长还是短? 电磁阀在什么时候不动作?

3.在 Z3040 型摇臂钻床电气原理图中,有哪些联锁与保护? 为什么要用这几种保护环节?

3.5.5　任务报告与考核要求

1.实训报告要求

（1）绘出 Z3040 型摇臂钻床主拖动及制动的控制电路,并分析该电路的特点。

（2）总结实训中出现异常现象,试分析原因并写出收获、体会。

2.考核要求

（1）在规定的时间内能找出故障点并能正确的分析和维修。

（2）维修工艺达到基本要求,维修后能正常运行。

（3）文明安全操作,没有安全事故。

【小结】

本部分内容对几种常用机床的电气控制进行了分析和讨论,其目的不仅要求掌握某一机床的电气控制,更为重要的是由此举一反三,掌握分析一般生产机械电气控制的方法,培养分析与排除电气设备故障的能力,进而为设计一般电气设备的控制电路打下基础。

1.机床电气控制电路的一般分析方法

（1）了解机床基本结构、运动情况、工艺要求、操作方法,以期对机床有个总体了解,进而明确机床对电力拖动的要求,为阅读和分析电路做准备。

（2）阅读主电路,掌握电动机的台数和作用,结合该机床加工工艺要求分析电动机启动方法、有无正反转控制、采用何种制动、电动机的保护种类等。

（3）从机床加工工艺要求出发,一个环节一个环节地去阅读各台电动机的控制电路。

（4）根据机床对电气控制的要求和机、电、液配合情况,进一步分析其控制方法及各部分电路之间的联锁关系。

（5）统观全电路看有哪些保护环节。

（6）进一步总结出该机床的电气控制特点。

2.各机床电气控制的特点

本部分内容对 CA6140 型普通车床、M7120 型平面磨床、Z3040 型摇臂钻床及 XA6132 型卧式万能铣床的电气控制进行了分析和讨论。在这些电路中,有许多环节是相同的,都是一些基本控制环节的有机组合,然而各台机床的电气控制又各具特色,只有抓住了各台

机床的特点,也就抓住了个性,抓住了本质,也才能将各台机床的电气控制区别开。上述几种机床电气控制的特点是:

CA6140 普通车床设有快速移动电动机,拖动溜板箱快速移动;整个电路具有完善的人身安全保护环节:电源开关采用带自动分断功能的形式,机床控制配电盘壁龛门上装有安全开关、机床床头皮带罩上设有安全开关。M7120 型平面磨床采用电磁吸盘吸持工件,对电磁吸盘的控制与保护环节是其主要特点。Z3040 型摇臂钻床具有两套液压控制系统,即操纵机构液压系统和夹紧机构液压系统。电路与油路自动完成摇臂的松开—移动—夹紧的自动控制。XA6132 型卧式万能铣床主轴电动机的停车制动和主轴上刀时的制动、工作台工作进给和快速进给均采用电磁离合器的传动装置控制;主轴与进给变速时均设有变速冲动环节;进给电动机的控制采用机械挂挡 - 电气开关联动的手柄操作,而且操作手柄扳动方向与工作台运动一致;工作台上、下、左、右、前、后 6 个方向的运动具有联锁保护。

3. 机床电气控制的故障分析与检查

熟悉电气控制电路工作原理,了解各电器元件与机械操作手柄的关系是分析电气故障的基础;了解故障发生的情况及经过是关键;了解用万用表检查电路或用导线短路法查找故障点的方法。通过不断参加生产实践,不断提高阅读与分析电路图的能力,提高分析与排除故障的能力,培养设计电路图的能力。

【思考与习题】

1. CA6140 型普通车床电气控制具有哪些特点?

2. CA6140 型普通车床电气控制具有哪些保护? 它们是通过哪些电器元件实现的?

3. M7120 型平面磨床采用电磁吸盘来夹持工件有什么好处?

4. M7120 型平面磨床控制电路中欠电压继电器 KV 起什么作用?

5. M7120 型平面磨床具有哪些保护环节,各由什么电器元件来实现的?

6. M7120 型平面磨床的电磁吸盘没有吸力或吸力不足,试分析可能的原因。

7. 分析 Z3040 型摇臂钻床电路中,时间继电器 KT 与电磁阀 YV 在什么时候动作? 时间继电器各触头作用是什么?

8. Z3040 型摇臂钻床电路中,行程开关 $SQ_1 \sim SQ_4$ 的作用是什么?

9. 试述 Z3040 型摇臂钻床操作摇臂下降时电路的工作情况。

10. Z3040 型摇臂钻床电路中有哪些联锁与保护?

11. Z3040 型摇臂钻床发生故障,其摇臂的上升、下降动作相反,试由电气控制电路分析其故障的原因。

12. XA6132 型卧式万能铣床电气控制电路中,电磁离合器 $YC_1 \sim YC_3$ 的作用是什么?

13. XA6132 型卧式万能铣床电气控制电路中,行程开关 $SQ_1 \sim SQ_6$ 的作用各是什么?

14. XA6132 型卧式万能铣床电气控制具有哪些联锁与保护? 为何设有这些联锁与保护? 它们是如何实现的?

15. XA6132 型卧式万能铣床主轴变速能否在主轴停止或主轴旋转时进行,为什么?

学习情境 4　船舶机舱辅机的电气控制

【学习任务概况】

知识目标：熟悉船舶机舱电气控制原理图画法规则和读图方法；掌握船舶机舱电气控制的分析方法。

能力目标：能正确阅读和分析船舶机舱辅助电气控制系统图；具有简单电气故障排除的能力。

【理论部分】

典型任务 1　船舶基础电气控制系统

船舶基础控制系统是在一般性电工工艺实践基础上进行的小型、简单系统的组装实践或部分组装实践。通过它可以了解系统构成原理和运行操作过程，在实践中，应增强电器、电气基础环节和系统的认识，以提高电气调试的基本技能。

4.1.1　电极式水位控制系统

机舱很多设备是需要自动控制的，如水柜、油柜箱或锅炉水位的液位高度控制等，但其控制精度要求不高，只要维持在某一设定的低限到高限的范围内就可以，这类控制就是所谓的双位控制，可以避免系统对各种设备的频繁启动和停机，可以延长设备的使用寿命。下面用电极棒测量水位高度的一个控制系统（就是属于此类系统）为例来说明其工作原理。如图 4-1 所示电路图，是一个水箱中水位保持一定高度的控制系统，其最高水位在 H 位置，最低水位高度在 L 位置，改变高低两根电极棒插入水箱中高低位置，即可改变高低水位的设定值，其线路工作原理如下。

合上电源开关 HK，操作手柄 A 打到自动挡，当水位在设定的低限水位（L 水位）以下时，水面与中等长度电极脱离，24 V 电路中没有电流通过，继电器 J 失电，其常闭触头闭合，使接触器 KM 接通，相继电磁阀 C 亦接通，水源向水箱送水，使水位逐渐上升，一直上升到最高水位（H）时，使 J 继电器吸合，切断电磁阀 C，停止供水；当用户用水时，水位下降，使水位低于最高水位，但 J 继电器由于本身常开触头闭合使 J 继电器继续吸合，所以一直不继续供水，直到用户使水位低于最低水位（L）水位时，才恢复供水。因此在这个控制线路中，能保证水位保持在 H 与 L 水位之间。

当出现危险水位时（如果这个水箱水位控制用作一个锅炉的水位控制时），过低的水位将使设备出现危险，故当水位低于危险水位 N 时，使 K 继电器断电、声光报警，提示出现了危险水位现象。

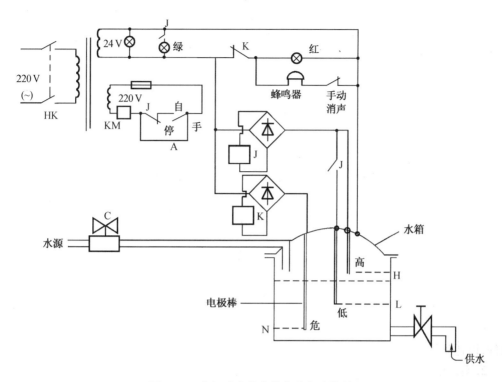

图 4 - 1　电极式水箱水位高度自动控制

　　请思考在该系统中,若要改变水位的控制高度,应该如何操作? 在该图中 H、L 水位高度设定过近时将会产生什么现象?

4.1.2　空调控制系统

　　现代生活中,无论在船上或者在陆地上,空调是必不可少的,故引入空调系统有一定的实用性,在这里主要介绍其一般原理和有关的电气控制。

　　1. 制冷的基本原理及系统组成

　　制冷系统的基本原理如图 4 - 2 所示,低压气态冷剂从压缩机 1 上的吸入口吸入,在压缩机的作用下,从排出口输出高温;高压的气态冷剂经冷凝器 2 冷却后变成低温高压的液态冷剂,经毛细管 3 节流到蒸发器 4 吸热使房间降温,吸热后的气态冷剂再回到压缩机吸入口,循环使用,图 4 - 2 中 5、6、7 为电动机及风扇。制冷系统由下面几个主要部件构成。

　　(1)压缩机　压缩机驱使制冷剂在系统中循环流动。

　　(2)冷凝器　冷凝器冷却来自压缩机的高温高压制冷剂,使其液化成高压中温的液态制冷剂。

　　(3)干燥过滤器　干燥过滤器过滤干燥制冷剂中的杂质和微量水分,便于制冷剂能顺利通过毛细管。该装置在原理图中没有画出来。

　　(4)毛细管　毛细管用来控制制冷剂的流量(节流),从而控制其蒸发温度、蒸发压力和冷凝压力。

　　(5)蒸发器　蒸发器为从毛细管出来的低压制冷剂提供蒸发、吸热的空间。

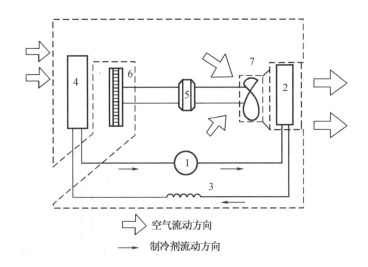

图 4-2 冷风型窗式空调器工作原理

1—压缩机;2—室外侧热交换器(冷凝器);3—毛细管;
4—室内侧热交换器(蒸发器);5—电动机;6、7—离心式和轴流式风扇

(6)通风系统 通风系统为制冷系统中的热交换器(蒸发器与冷凝器)提供空气热交换条件,以达到调节空气温度的目的。

2. 空调电气控制系统

制冷是空调系统的核心内容,要使空调正常运转必须有相应的一套电气控制系统与其相配合。空调电气控制系统由下列几个部件构成。

(1)温控器(温度控制器) 温控器将温度变化转变成电气指令,控制电路的通与断,使空调房间的温度保持在适当的范围内。目前空调中使用的温控器有两种:一种为电子式温控器,它是采用全密闭封装的热敏电阻,当温度升高时,热敏电阻值降低,而温度降低时,阻值升高;另一种为机械式温控器,它的动作原理如图 4-3(a)所示,当空调系统温度升高时,感温包内压力升高,使波纹管伸胀,向上顶动,横杆 4 使微动开关动作接通,如图 4-3(b)所示,温控器上有 3 个触点 C、L、H,其中 C 是公共端,制冷时 C 与 L 接通;制热时 C 与 H 接通。

(2)热保护器 热保护器是防止压缩机过载的保护装置,它可避免电动机绕组因过载而烧毁,其作用原理跟热继电器相同,但是它是单相的。

(3)选择开关 选择开关将机械指令转变成电气指令,控制空调器的工作状态。

(4)压缩机电动机与风扇电动机 它为单相异步电动机,其线路原理图如图 4-4 所示。电动机内部有两个绕组:一个为主绕组;另一个为辅助绕组。在辅助绕组上串电容 C,增加启动转矩,主绕组上有中间轴头,可以进行两挡速度调节。整个空调系统电气控制线路如图 4-5 所示。

在该图上,K_1 是一个小型多挡开关,开关原理与读图方法如多极开关(或主令开关)。例如 K_1 在 0 挡中间位置,电路是被切断的,如在右"一"挡,风机 M_1 接通,压缩机 M_2 没有接通,故系统是不运转的,此时是风冷挡;右"二"挡时,风机 M_1 与压缩机 M_2 都启动,制冷强度增加;在右"三"挡时,压缩机启动且风机是强风,风机速度大大增加。K_1 开关在右边位置,空调是在冬天加热情况运行,T 是控制器,控制在"夏天"还是在"冬天"运行,Q 为压缩机过

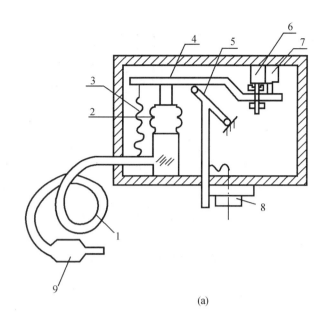

(a)

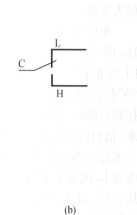

(b)

图 4 - 3　机械式温控器动作原理

1—毛细管;2—波纹管;3—弹簧;4—杠杆;
5—曲杆;6、7—微动开关;8—偏心凸轮;9—感温包

载保护,F 为加热器电流过大保护。

4.1.3　自动供水(油)系统

船上主机和辅机在正常运转中,需要不断地供给油或水,不能中断,否则会影响机器的正常运转。但是供水(油)系统有时会出现故障,因此一般设备用两套机组,一套在运行时,另一套处于备用状态。

自动供水(油)系统由两个机组组成,每一个机组中泵运转后,建立一定水(油)路压力,及时供水(油)给所需的地方,该二机组可以同时运转提供水(油)压,亦可单独一个机组供水(油),另一机组作为备用机组,但当运行机组出现水(油)路系统故障,建立不起水(油)压时,应能自动切换到备用机组工作,而原机组进行维修保养工作。

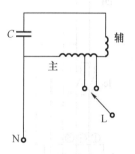

**图 4 - 4　单相双速电动机
线路原理图**

图 4 - 6 为机组自动切换控制线路,联动转换开关 b_1 具有 6 层 3 个位置,其 3 个位置为:b_1 在"0"位置时,可控制机组单独启动、停止,但不能自动切换,需手动控制转换;b_1 在"1"位置时,机组 1 是工作机组,机组 2 是备用机组,机组 1 故障时,自动切换使机组 2 立即投入运行;b_1 在"2"位置时,机组 2 是工作机组,机组 1 是备用机组,机组 2 故障时,能自动切换机组 1 工作。机组启动、停止与自动切换的工作原理如下。

1. b_1 在"0"位置

合上电源开头 $1a_1$,如启动机组 1 时,按下启动按钮 $1b_2$,继电器 $1d_1$ 绕圈通电动作,且与 $1b_2$ 并联的常开触头 $1d_1$ 闭合自锁,与接触器线圈 $1c_1$ 串联的常开触头 $1d_1$ 闭合,$1c_1$ 通电动作,$1c_1$ 主触头闭合,使机组 1 启动,$1c_1$ 副触头闭合,指示灯 h_1 亮。停止运行时,按一下停止

按钮 $1b_1$。两个机组控制线路中有短路保护，通过熔断器 FU_1、FU_2 实现。电动机过载保护通过热继电器 $1e$、$2e$ 实现，失压保护通过 $1d_1(2d_1)$ 和其触头实现。

如启动机组 2 时按下启动按钮 $2b_2$ 即可，动作原理与启动机组 1 相同，停止时按下停止按钮 $2b_1$。b_1 在"0"位置时，因继电器 d_1、d_2、d_3、d_4 的控制电源断开，不能通电，图 4-6 中水（油）压压力继电器 b_2 当泵运行建立不起压力时称为无压状态，压力继电器 b_2 的触头 1 与 2 接通。当建立压力后，触头 1 与 3 接通，当 b_1 在"0"位置时，b_2 无论在哪种状态都不起作用，因为无电源供电。

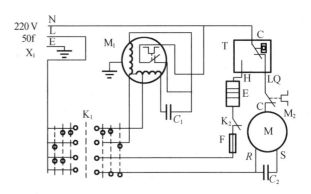

图 4-5 空调系统电气控制线路

X_1—电源插头；M_1—风扇电动机；M_2—压缩机；K_1—选择开关；
T—控制器；F—温度熔断器；E—加热器；Q—过载保护；
K_2—可复性保护器；C_1、C_2—电容

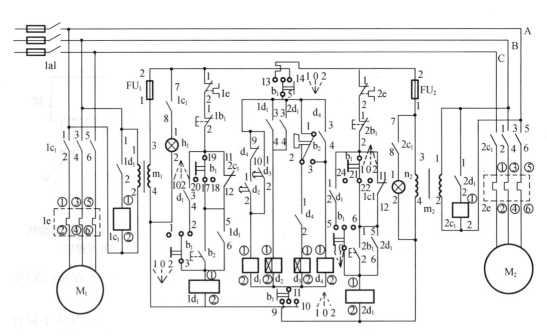

图 4-6 泵供水（油）机自动切换电路图

2. b_1 在"1"位置

机组 1 选择为运行机组，机组 2 是备用机组，当系统发生故障时，自动切换到机组 2 工作。图 4-6 中水（油）压力继电器 b_2 的触头的状态是机组启动前无水（油）压的状态。首先合上电源开关 la_1，两机组的主电路与控制电路电源皆供电，b_1 放在位置 1 时，继电器 $d_1 \sim d_4$ 线圈电路的电源线经 b_1 的两个触头与机组 2 的控制电路电源（变压器 m_2）接通，在机组 2 的控制电路中，与 d_1 常开触头串联的 b_1 触头闭合，这样为机组自动切换做好准备。

按 $1b_2$ 时，$1d_1$ 通电动作，使 $1c_1$ 和时间继电器 d_2 通电动作，$1c_1$ 动作使机组 1 启动运行，并使接在 $2d_1$ 线圈电路中的 $1c_1$ 副触头断开，此后如果按 $2b_2$，$2d_1$ 也不会通电，机组 2 不能启动，d_2 通电后，其触头延时闭合，正常时启动后水（油）压建立起来，b_2 触头动作，使 d_4 通电，常开触头闭合自锁，d_1 线圈电路的 d_4 常闭触头打开，当 d_2 触头延时后闭合，d_1 不会通电，其目的是躲过启动时间，避免启动过程中机组自动切换，保证机组 1 的正常启动运行。

启动过程经 d_2 延时后，水（油）压仍未建立时，b_2 触头不动作，d_4 不通电，当 d_2 融头延时闭合时，d_1 通电动作，机组 2 控制电路中的 d_1 触头闭合，使继电器 $2d_1$ 通电动作，$2d_1$ 常开触头闭合，使 d_2 经两路通电（在 $1d_1$ 断电释放时仍保持通电，使 d_1 不断电），$2d_1$ 另一常开触头闭合，$2c_1$ 通电动作，机组 2 启动运行，而在机组 1 控制电路中的 $2c_1$ 常闭副触头打开，使 $1d_1$ 断电释放，因而 $1c_1$ 断电释放，机组 1 停止工作，同时机组 2 控制电路中的 $1c_1$ 常闭副触头闭合。当水（油）压建立后，压力继电器动作，b_2 触头接通 d_4，d_4 常开触头闭合自锁，而 d_4 常闭触头断开，此时 d_1 才断电释放，但 $2d_1$ 线圈已通过本身自锁触头和 $1c_1$ 副触头构成另一条支路保持通电，至此自动完成了机组的切换。

在机组 1 的正常启动运行中，由于某种原因出现水（油）压过低或消失的故障时，则压力继电器 b_2 的触头恢复原位，因 d_4 自锁不断电而使时间继电器 d_3 通电动作，但触头延时闭合，在延时过程中水（油）压重新恢复时，b_2 又动作，使 d_3 断电，则机组 1 继续运行，如果水（油）在 d_3 延时过程中不能恢复时，d_3 触头闭合，使 d_1 继电器动作，机组 2 控制线路中的 d_1 常开触头闭合，使 $2d_1$ 通电动作，$2d_1$ 常开触头闭合，$2c_1$ 通电动作，机组 2 启动运行，机组 1 控制线路中的 $2c_1$ 常闭副触头打开，使 $1d_1$ 和 $1c_1$ 断电释放，机组 1 停止运行。同时在机组 2 控制线路中 $1c_1$ 常闭副触头闭合，使 $2d_1$ 经线圈通过本身的自锁触头和 $1c_1$ 副触头构成另一条通电支路，当水（油）压建立后，b_2 动作使 d_3 断电，因而 d_1 断电释放，机组 2 控制电路中的 d_1 常开触头虽然断开，$2d_1$ 已不会断电，至此完成机组的自动切换过程。当水（油）压不正常时，d_1 动作控制机组自动切换，同时接通声光报警电路，在此图中没有表示出来。

请思考：在该系统中，可以设置很多人为故障点以理解电路原理，如 $d_4(9-10)$ 常闭点因故断开，系统将发生什么情况？又如 $d_1(1-2)$ 常开点在运行中不能闭合或因故断开，又将出现什么情况？

典型任务 2　船舶空压机的电气控制调试

船舶压缩空气系统是船舶管路系统之一，主要为发电机、主机启动和海底门杂物吹除以及船上其他需要压缩空气的地方提供压缩空气的管路系统。船舶压缩空气系统由空压机、压力开关、空气瓶、减压阀组、输送管路、终端设备、控制阀门组成。而空压机是用来产生和提供压缩空气的设备。

4.2.1　辅机电力拖动装置

船用辅机对船舶的正常运行和工作是必不可少的。辅机电力拖动是船用辅机的重要组成部分，一般工作机构是由原动机拖动而运转。目前，以电动机为原动机的拖动方式仍被普遍采用，把由电动机带动工作机构运转的方式，称为电力拖动。由电动机、控制设备、传动机构和工作机构所组成的电气机械装置，称为电力拖动装置。其组成如图 4-7 所示。

辅机工作机构是被拖动与控制的对象，是电动机的负载。水下船舶的直流辅机设备有

图 4 - 7 电力拖动装置

液压泵、蓄电池海水泵、推进电机和轴承海水泵、蓄电池蒸馏水泵等,它们都是用直流幅压无触点启动器进行控制。该启动器能启动和停止电动机,并具有短路、过载延时保护和失压保护,能遥控操作和外接运行指示灯,长期工作。按电流原则启动,启动电流不大于电动机 2 倍额定电流。其交流辅机设备有滑油泵、离子交换泵,推力轴承静压泵、海水淡化装置、空调装置等,它们是用 Q 系列电磁启动器进行控制。

4.2.2 船舶空压机电气控制及工作原理

船舶有两台活塞式电动空气压缩机,分别布置在舱尾部右舷和舱首部左舷,用来制造并供给高压空气。机舱的压缩机还担负着舱室降压的任务。因此,空气压缩机只允许连续工作制。

1. 高、中压空气系统的功用

高、中压空气系统是制造和储备压缩空气的系统,是水下船舶战斗保障和生活保障的重要系统,其主要任务是向需要压缩空气的系统和装置供气,并在压缩空气消耗之后进行充气,此外,水下状态时可启动空气压缩机降低舱室的压力。

2. 空气压缩机的控制工作原理

空压机电气设备主要电器元件:

(1)直流幅压电动机。该电机带有一个启动绕组 L_4,只作短时工作用,电动机启动时启动绕组串入电枢电路,利用其阻抗将启动电流限制在一定数值上,启动结束后应将启动绕组短接,不会影响电动机的正常工作。启动绕组首先具有一般启动电阻所具有的限流作用;其次,当启动电流流过它时产生的磁势使激磁磁场大为增强,这样使相同启动电流下的启动转矩大大增加,有利于电动机克服大的静态力矩迅速启动;再次,启动绕组的增磁作用又使电动机磁场不至于因大的启动电流所产生的电枢反应而遭到削弱,保证了电动机转速平稳地上升。

(2)磁力启动器启动控制箱,直流幅压有触点启动器。箱内有线路接触器和延时加速器。

线路接触器用于主电路的通断。它的吸引线圈由两部分串联组成,其中一只线圈匝数多截面细,为吸引线圈;另一只线圈匝数少截面粗,为启动线圈。当接触器通电时,仅用启动线圈,通过大电流使其衔铁迅速吸合动作,通电动作后,再将吸引线圈串入以减少电流值,维持吸合状态,这一作用与节能电阻相同。

延时加速器相当于一个延时继电器和一个加速接触器的控制作用,在此线路中用来完成用时间原则的二级启动控制任务。该继电器为继电延时继电器,其主触头用于短接启动电阻 R_3 和启动绕组 L_4,使电动机加速,副触头用于短接降压电阻 R_1,K_{2b}。提供可控硅触发电压通路,使线路接触器通电,可控硅导通,保证主电路接通,电动机运转。图 4 - 8 为电动

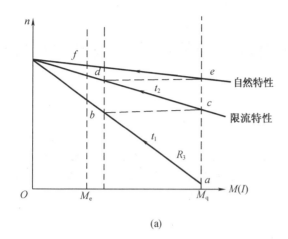

(a)

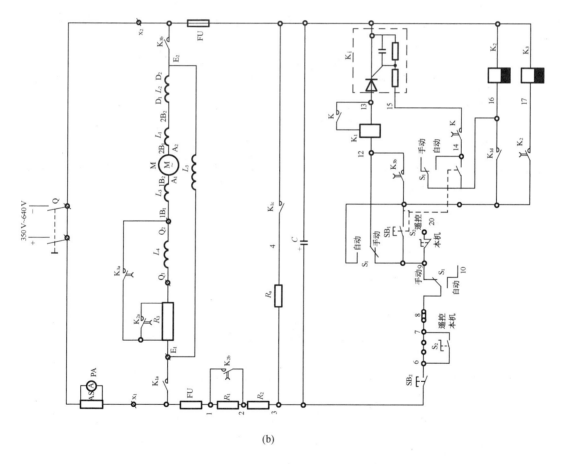

(b)

图 4 - 8　电动机的启动特性曲线和原理图

（a）电动机的启动特性曲线；（b）空压机原理图

机的启动特性曲线和原理图。手动、自动转换开关,具有失压保护作用。可控硅触发电路 K_i 更准确地保证主电路启动电阻和启动绕组全部串入主回路,线路按接触器才通电动作。R、R_2 为降压电阻器。S_2 为遥控转换开关,实现远距离控制。

典型任务3 船用自动泵组的电气控制操作及排故

4.3.1 装置的基本配备

1. 电源控制面板(胶木面板)

(1)交流电源(带有断路保护措施)。通过市电提供三相四线交流电源(AC380 V)。

(2)人身安全保护体系。电压型漏电保护器:对线路出现的漏电现象进行保护,使控制屏内的接触器跳闸,切断电源。电流型漏电保护装置:控制屏若有漏电现象,漏电流超过一定值,即切断电源。

2. 控制面板

面板上安装有机组的所有主令电器及动作指示灯,机床的所有操作都在这块面板上进行,指示灯可以指示机组的相应动作。

面板上装有断路器、熔断器、接触器、热继电器、变压器等元器件,这些元器件直接安装在面板表面,可以很直观地看它们的动作情况。

3. 电动机

3 个 380 V 三相鼠笼异步电动机,分别用作机组电机运行状态。

4. 故障开关箱

设有 36 个开关,其中 K_1 到 K_{30} 用于断开故障设置;K_{31} 到 K_{35} 用于闭合故障设置;K_0 用作照明灯开关,可以用来夜间工作。

4.3.2 原理图

原理图如图 4-9 所示。

4.3.3 船用泵组自动切换控制系统原理分析

1. 结构

机组的结构主要由泵组、工作台、控制面板、主电路面板、故障设置箱等部分组成。故障设置箱安装在工作台背面,以便设置故障不被学生发觉。机组控制面板在左侧,有利于学生的排故测试。主电路面板在右侧,不便触摸,能起到安全保护的作用。在工作面板上学生可以摆放排故所用的仪表工具,如万用表等。工作台机组自动切换是通过主电路面板上的两个主接触器吸合来实现的,工作台泵组压力控制靠两个小的压力开关来实现改变。

2. 控制要求

(1)机组都具有手动和自动控制。

(2)两机组分别可以选择备用机和运行机。(如 1#为运行机,那么 2#就为备用机,当机组得电后 1#泵机进入运行状态,2#泵机进入备用伺服状态,当 1#泵机由于故障或其他原因,2#机延时后启动运行,反之,也是一样。)

(3)泵机的压力分别由两个小开关来控制实现。

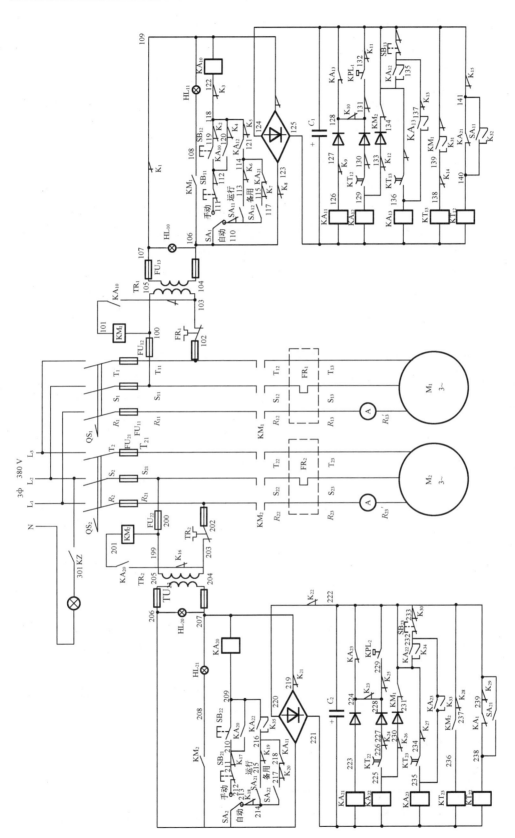

图 4-9 船用泵组电气控制原理图

(4)具有完善的保护环节。各电路的短路保护和电机的长期过载保护、零压、欠压保护。

3. 运动形式

(1)1#机运行,2#机备用伺服。当1#泵机由于故障或其他原因,2#机延时后启动运行。

(2)2#机运行,1#机备用伺服。当2#泵机由于故障或其他原因,1#机延时后启动运行。

(3)1#、2#机都进入运行状态。

4. 电气原理分析

(1)主电路分析。M_1 为1#泵电动机,由 KM_1 控制,M_2 为1#泵电动机,由 KM_2 控制。

(2)指示、照明分析。将电源开关 QS_1、QS_2 合上后,控制变压器输出电压,"电源"指示 HL_{20}、HL_{10} 亮,"照明"灯由开关 KZ 控制,将 SA 闭合,照明灯亮,将 SA 断开,照明灯灭。

(3)元件说明(图4-9)。主接触器 KM_1、KM_2:接通马达电源;中间继电器 KA_{11}、KA_{21}:为备用机组自动启动做准备;中间继电器 KA_{12}、KA_{22}:自动启动本机组;中间继电器 KA_{13}、KA_{23}:起压延时结束动作,使 KA_{11}、KA_{21} 仅受 KPL 控制;时间继电器 KT_{13}、KT_{23}:机组启动后,出口管建立压力的延时;时间继电器 KT_{12}、KT_{22}:恢复供电时,泵组自动启动顺序,防止泵组同时启动,造成对电网冲击。复位按钮 SB_{15}、SB_{25}:故障排除后复位按钮,使之处于正常备用状态。为了控制方便和工作可靠,控制面板上有一控制转换开关 K,它有三个位置(MANUAL、RUNNING、STANDBY),可进行手动、自动转换;当 K 转至 MANUAL 位,可在集控室遥控启/停(SB_3、SB_1),也可在机旁启/停(SB_2、SB_4),且停止按钮 SB_4 带锁扣功能,以防检修时误启动;如需自动运行,若选择1#为运行机组,2#为备用机组,则把 K_1 转至 RUNNING 位,把 K_2 转至 STANDBY 位。

5. 控制线路分析

当电源开关 QS_1、QS_2 合闸后,1#、2#泵主、辅电路获电。

(1)线圈 KA_{11}、KA_{21} 获电,KA_{11}、KA_{21} 的常闭触头分别断开,进行互锁。

(2)线圈 KT_{12}、KT_{22} 获电,触头延时闭合,线圈 KA_{12}、KA_{22} 获电;KA_{12} 触头闭合,使线圈 KA_{10} 获电,线圈 KM_1 获电,1#机组启动;而 KA_{22} 触头虽然闭合,但由于 KA_{11} 常闭触头已断开,所以2#机组不会启动,何时启动,取决于 KA_{11} 何时失电。

(3)1#机组启动后,运行正常则建立压力,压力开关 KPL_1 触头闭合;同时 KM_1 常开触头闭合,使线圈 KT_{13} 获电,其触头延时闭合使线圈 KA_{13} 获电,其常闭触头断开,这时,KA_{11} 完全由 KPL_1 控制,也就是对压力进行监控。

(4)如果在 KT_{13} 延时时间内未起压,或运行中失压,则 KA_{11} 失电,线圈 KA_{20} 获电,线圈 KM_2 获电,2#机组自动启动,与线圈 KA_{12} 串联的 KM_2 常闭触点断开,1#机组停机,完成自动切换。

(5)将 K_2 转至 RUNNING 位;故障排除后,将 K_1 转至 STANDBY 位,并按下 SB_{15},使 KA_{13} 失电,从而1#机组成为备用机组。

4.3.4 机组的安装与操作

1. 准备工作

(1)查看各电器元件上的接线是否紧固,各熔断器是否安装良好。

(2)独立安装好接地线,设备下方垫好绝缘垫,将各开关置分断位置。

(3)插上三相电源。

2. 操作试运行

参看电路原理图,按下列步骤进行电气模拟操作运行。

(1)将装置右侧的总电源开关合上,按下主控电源板的启动按钮。

(2)合上断路器 QS,"电源"指示灯亮,表示控制变压器已有输出。

(3)照明控制。将开关 KZ 旋到"开"位置,"照明"指示灯亮,旋到"关"位置,"照明"指示灯灭。

(4)泵组电机的控制。按下 SA_1、SA_2 转手动位置,分别按下 SB_1、SB_2,KM_1、KM_2 吸合并自锁,1#、2#泵电机转动,同时"泵启动"指示亮,按下 SB_1,KM_1、KM_2 释放,泵组电机停止,同时"泵启动"指示灭。

4.3.5　机组电气控制线路故障排除实习训练指导

1. 实习内容

(1)用通电试验方法发现故障现象,进行故障分析,并在电气原理图中用 K 标出故障点。

(2)按图排除机组主电路或控制电路中人为设置的两个电气自然故障点。

2. 电气故障的设置原则

(1)人为设置的故障点,必须是模拟机床在使用过程中,由于受到振动、受潮、高温、异物侵入、电动机负载及线路长期过载运行、启动频繁、安装质量低劣和调整不当等原因造成的"自然"故障。

(2)切忌设置改动线路、换线、更换电器元件等由于人为原因造成的非"自然"的故障点。

(3)故障点的设置,应做到隐蔽且设置方便,除简单控制线路外,两处故障一般不宜设置在单独支路或单一回路中。

(4)对于设置一个以上故障点的线路,其故障现象应尽可能不要相互掩盖。否则学生在检修时,若检查思路尚清楚,但检修到定额时间的 2/3 还不能查出一个故障点时,可做适当的提示。

(5)应尽量不设置容易造成人身或设备事故的故障点,如有必要时,教师必须在现场密切注意学生的检修动态,随时做好采取应急措施的准备。

(6)设置的故障点,必须与学生应该具有的修复能力相适应。

3. 实习步骤

(1)先熟悉原理,再进行正确的通电试车操作。

(2)熟悉电器元件的安装位置,明确各电器元件作用。

(3)教师示范故障分析检修过程(故障可人为设置)。

(4)教师设置让学生知道的故障点,指导学生如何从故障现象着手进行分析,逐步引导到采用正确的检查步骤和检修方法。

(5)教师设置人为的自然故障点,由学生检修。

4. 实习要求

(1)学生应根据故障现象,先在原理图中正确标出最小故障范围的线段,然后采用正确的检查和排故方法并在定额时间内排除故障。

(2)排除故障时,必须修复故障点,不得采用更换电器元件、借用触点及改动线路的方法,否则,视为不能排除故障点扣分。

（3）检修时,严禁扩大故障范围或产生新的故障,并不得损坏电器元件。

5.操作注意事项

（1）设备应在指导教师指导下操作,安全第一。设备通电后,严禁在电器侧随意扳动电器件。进行排故训练,尽量采用不带电检修。若带电检修,则必须有指导教师在现场监护。

（2）必须安装好各电机、支架接地线、设备下方垫好绝缘橡胶垫,厚度不小于 8 mm,操作前要仔细查看各接线端,有无松动或脱落,以免通电后发生意外或损坏电器。

（3）在操作中若发出不正常声响,应立即断电,查明故障原因待修。故障噪声主要来自电机缺相运行,接触器、继电器吸合不正常等。

（4）发现熔芯熔断,应找出故障后,方可更换同规格熔芯。

（5）在维修设置故障中不要随便互换线端处号码管。

（6）操作时用力不要过大,速度不宜过快;操作频率不宜过于频繁。

（7）实习结束后,应拔出电源插头,将各开关置分断位。

（8）做好实习记录。

4.3.6　设备维护

1.操作中,若发出较大噪音,要及时处理,如接触器发出较大嗡声,一般可将该电器拆下,修复后使用或更换新电器。

2.设备在经过一定次数的排故训练使用后,可能出现导线过短,一般可按原理图进行第二次连接,即可重复使用。

3.更换电器配件或新电器时,应按原型号配置。

4.电机在使用一段时间后,需加少量润滑油,做好电机保养工作。

【小结】

本部分主要讲述了船舶机舱辅机电气控制的基本控制环节和船舶基本电力拖动系统控制电路,这是船舶机舱电气控制的基础,应熟练掌握。

【思考与习题】

1.简述电力拖动装置的组成。

2.制冷是空调系统的核心内容,要使它正常运转必须有相应一套电气控制相配合,它的部件构成是哪些?

学习情境 5　船舶动力设备的电气控制

【学习任务概况】

知识目标：从船舶动力设备电力传动角度了解设备的要求及控制特点，学会船舶动力设备电气控制原理图画法规则和读图方法；掌握船舶动力设备电气控制的分析方法。

能力目标：能正确阅读和分析船舶动力设备电气控制系统图；具有典型的船舶动力设备电气故障排除的能力。

典型任务 1　船舶起货机的电气控制调试

5.1.1　船舶起货机的电气控制

船舶起货机在货船、客货船及大多数工程船上是一种重要的甲板机械，用来吊放货物或工程机械。

船用起货机的类型依据拖动方式来分，有电动起货机和电动液压起货机两种；从机械结构形式来分，主要有吊杆式起货机，回转式起货机（克令吊）和行走式起货机（门吊）几种类型。在 20 世纪 60 年代到 70 年代中，船舶起货机多采用吊杆式起货机。20 世纪 80 年代以后，回转式起货机逐渐多了起来，并有不少是采用电动液压型式。近年来，集装箱船的不断发展，行走式起货机（门吊）逐渐被采用。

电动起货机的优点是便于实现自动化和遥控，并且本身振动、噪声较小；可采用多电机拖动或选用各种类型电动机的固有特性及人为特性来满足起货机对电力拖动的要求，设计成紧凑的电力拖动系统。电动起货机的缺点是电气线路较为复杂。电动液压起货机的优点是调速平滑，能实现无级调速，加速时间短，有良好的制动能力，不需要电磁制动器；由于它的调速和换向是由液力机械完成的，电动机恒速不变，使其控制线路简化。它的缺点是工作效率低，制造精度要求高，油路管道系统复杂。

随着船舶电气化程度的提高，蒸气起货机已逐渐被电动起货机和电动液压起货机所代替。电动起货机便于实现自动化和远距离控制。为了满足起货机对电力拖动的要求可采用多电动机拖动的方法，但电气控制线路复杂，维护保养工作量大。电动液压起货机具有无级调速、运行平稳，能自动防止过载，效率高，电气控制线路简单；但油管路系统复杂，制造要求高。目前，船用起货机仍以电动起货机电力拖动方式为主。

1. 电动起货机的结构、运行特点

船用起货机从机械结构主要分为吊杆式起货机和回转式起货机两大类。而吊杆式起货机又可以分为单吊杆式和双吊杆式两种。

（1）单吊杆式起货机

单吊杆式电动起货机是一种具有电动回转和变幅的起货机。如图5-1所示。有三台电动机带动的绞车，其中1是提升和下降货物的升降绞车，2是吊杆升降的变幅绞车；3是吊杆回转的回转绞车。

（2）双吊杆式起货机

双吊杆式起货机是利用两台起货机的相互配合进行工作，通过双吊杆共用一个吊钩的方法起卸货物。如图5-2所示。

（3）回转式起货机

回转式起货机（又称克令吊）是20世纪60年代得到迅速发展的一种起货机，它包括提升电动机、变幅电动机和旋转电动机三个部分组成。如图5-3所示。

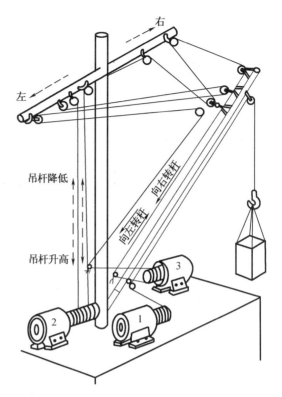

图5-1　单吊杆式起货机

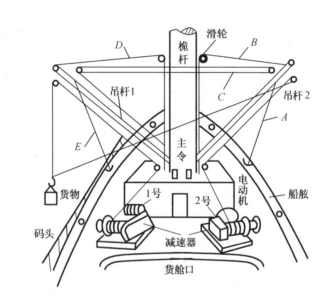

图5-2　双吊杆式起货机

2. 对起货机电力拖动及控制系统的要求

（1）对电动机的要求

①要求电动机的过载性能好，启动力矩足够大。

②要求电动机具有较软的机械特性，以适应轻载快速、重载慢速的要求。

③调速范围要广,即要空钩时高速,又能够着陆时低速,n_{max}/n_{min}通常在 7 ~ 10 范围内。

④为了加快启动和制动时间,提高劳动生产率,减小启、制动过程中的能量损耗,要求电动机的转子惯量尽可能小的电动机,这种电动机的特点是电动机的转子细而长。

⑤因为在甲板上工作,需采用防水式电动机。

⑥电动机的启、制动非常频繁,宜选用重复短时工作制的电动机。

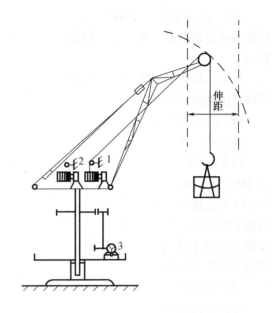

图 5 – 3　回转式起货机

(2)对控制线路的要求

①为了防止频繁起降上的误动作,应采用具有明显空间位置差异的主令控制器。

②货物在空中时为了防止货物自行下落,应有可靠的制动环节,通常有电气制动与机械制动相配合的制动装置。

③应具有完善的保护环节,除短路、失压、过载和缺相保护环节外,还应有防止重载高速提升和超速下落的保护环节。

④风机与起货机之间应有连锁环节(如风门未打开风机不能启动,起货机电动机也不能启动)。

⑤在变速换挡过程中,电动机至少应保持一副绕组通电。防止重物自由下落。

⑥设置发生故障时紧急停车和将货物低速放下等应急按钮以防扩大事故或造成货损。

3. 交流电动起货机

船舶交流电动起货机一般有鼠笼式异步电动机变极调速的交流起货机、绕线式异步电动机拖动的交流起货机和采用变频调速的交流起货机。

变极调速的交流起货机,其拖动电动机有恒功率调速方式和恒转矩调速方式两种:按恒功率设计的起货电动机,在空钩或轻载时,可以充分利用电动机的功率,但不允许重载时在高速上运行,要有防止措施;按恒转矩设计的起货电动机,在空钩或轻载时,电动机的功率不能充分发挥,但重载时可以上高速,平均启动转矩大,启动时间短,启动电流大,对电网的冲击大。一般电动机采用双转子结构,高速与中速共用同一个转子,而低速用另外一个转子。交流变极调速电动起货机对控制线路的要求:

(1)能按时间原则逐级自动启动,以减少电流冲击,启动时间应小于 2 s。

(2)主令控制器应设有零位、上升三挡和下降三挡。

(3)为了减轻电磁制动器的负担,减少制动能量损耗,缩短制动过程,当手柄从高速快速扳到零位时,实现三级制动:高速再生制动、速度降低后电气与机械联合制动、机械制动。整个制动时间应小于 1 s。

(4)下降货物时,应有电气制动以保证货物等速下降。就是在启动时先接通低速绕组电源后才能松开电磁制动器。

(5)中速和高速不应发生堵转现象,即制动器没有松开时,中速和高速绕组不能通电。

（6）当主令控制器手柄从上升的高速挡扳到下降的高速挡时，控制线路应能实现上升高速到零位的自动停车过程，然后再实现零位到下降高速的自动启动过程。这称为逆转矩控制。

（7）采用风机冷却的起货机，只有在风机运行后，才能启动起货机。在起货机工作中，当风机出现故障时，起货机只能运行在低速状态，以便放下空中的货物。

（8）应有短路、失压、过载、缺相运行等保护措施。

4. 交流三速起货机电气控制原理

图 5-4 是变极调速电动起货机控制线路。电动机采用三速鼠笼式异步电动机。型号为 JZF - H6(26/26/5.5 kW)，通过改变齿轮箱的传动比，使额定起货量可以是 3 t 也可以是 5 t，3 t 额定速度是 40 m/min，5 t 的额定速度 24 m/min。三速鼠笼式异步电动机有三套各自独立的绕组，其磁极对数分别是 2/4/14，同步转速分别是 500/750/214 r/min，4 对极为额定极，2 对极和 4 对极的额定功率都是 26 kW，属于恒功率调速。所以 4 极绕组工作时只允许提升 1/2 额定负载以下的货物，在轻载时可提高 1 倍转速。控制线路的工作原理如下：

（1）主令控制器手柄在"零位"

把电动机的风门打开，使风门开关 S 闭合，合上三相电源开关 QS，风机接触器 KM_5 通电，在主回路中(4)区的主触点闭合，风机电动机 1M 运行。控制回路中 KM_5(7)区的副触点闭合，为零压继电器 KA_1 通电做准备，(18)区 d 副触点闭合，为后面的控制电路作好通电准备。

打开主令控制器上的电源开关 SC，因为主令控制器在零位时，主令开关 SA-1，SA-4 闭合，所以零压继电器 KA_1 通电，其(8)区常开触点闭合自锁，(7)区的常开触点闭合，使低速接触器 KM_1、时间继电器 KT_4 通电，变压器 T 有电，使直流时间继电器 KT_3 得电。

KM_1 线圈通电，KM_1 在(3)区的主触点闭合，接通电动机 2M 的低速绕组。其(12)区的常开副触点闭合自锁，其(22)区的常开副触点闭合，使时间继电器 KT_5 通电。KM_1 在(4)区的常闭副触点断开，切断电流检测环节。在(19)、(21)区的常闭副触点断开，防止 KM_2、KM_3 线圈通电。

KT_3 通电，其(20)区的触点瞬时断开，防止电动机高速绕组直接通电。

KT_4，KT_5 通电，KT_4(4)区的触点瞬时断开，切断电流检测环节。KT_5(15)区的触点瞬时闭合，为制动接触器 KMB 获电作准备。

（2）上升一挡

把主令手柄扳到上升一挡时，开关 SA-2，SA-4，SA-5 闭合。

SA-2 闭合，使上升接触器 KMH 线圈通电，其在(2)区的主触点闭合，电动机 2M 接入三相交流电，因制动器未打开，电动机在低速下堵转。(9)区的常开副触点闭合自锁。在(14)区的常开副触点也闭合，使得 SA-5 闭合后，制动接触器 KMB 线圈能够通电（因为 KT_5 的延时触点已经闭合），此常开触点的作用是避免电动机通电前松闸而使空中货物跌落，也就是说制动接触器 KMB 只有在 KMH 动作以后才能接通。KMH 在(11)区的常闭副触点打开，防止下降接触器 KML 通电，与 KML 互锁。

SA-4 闭合，使低速接触器 KM_1 线圈继续处于接通状态。

制动接触器 KMB 线圈通电，其(2)区的常开触点闭合，制动器线圈 YB 通电，电磁制动器松闸。电动机 2M 开始启动并低速运转。其(16)区的常开触点闭合，使时间继电器 KT_1 通电，经延时后，在(17)区的常开触点闭合，强力接触器 KM_4 线圈获电，KM_4(27)区的常闭触点打开,将电阻 R_3 串入制动器线圈。直流电磁制动器的额定吸合电压是 110 V,电流是 10.35 A,而其维持电压只有 20 V,维持电流是 1.89 A。电阻 R_3 也被称为经济电阻。其 (24)区的常开触点闭合,为直流时间继电器 KT_2 通电做准备。

(3)上升二挡

把主令手柄扳到上升二挡时,主令开关 SA – 2、SA – 5、SA – 7、SA – 9 闭合,SA – 4 断开。

开关 SA – 2 闭合,上升接触器 KMH 线圈继续通电。

开关 SA – 5 闭合,制动接触器 KMB 线圈继续通电。

开关 SA – 7 闭合,中速接触器 KM_2 线圈通电,在(2)区的主触点闭合,电动机 2M 中速绕组接通,电动机转速上升并进入中速运行。KM_2 在(19)区的常开副触点闭合自锁,在(25)区的常闭触点打开,使时间继电器 KT_3 断电,其 KT_3(20)区的触点延时闭合,为自动逐级启动时,按时间原则控制中、高速级的转换。

开关 SA – 4 虽然断开,但由于 KM_1 的自锁作用,其线圈继续吸合,只有当 KM_2 线圈通电,其(12)区的副触点断开时,KM_1 的线圈才会失电。保证中速绕组确实通电后,低速绕组才脱离电源。开关 SA – 9 闭合,使直流继电器 KT_2 通电动作,其(10)区的常开触点瞬时闭合,使 KMH 构成自保回路。其(27)区的常开触点瞬时闭合,将放电电阻 R_4 的一部分短接,在停车制动时起控制作用。

另外,(4)区的常闭触点复原,负载继电器 KI 通电,准备在高速重载时起作用。

(4)上升三挡

把主令手柄扳到上升三挡时,主令开关 5A – 2、SA – 5、SA – 7、SA – 8、SA – 9 闭合。

开关 SA – 8 闭合,由于 KT_3(20)区、KM_1 区的触点在上升第二挡时已经闭合,如果负载继电器 KI 未动作,则 KI(20)区的常开触点没有动作,中间继电器 KA_2 线圈不通电,其(21)区的常闭触点依然闭合,高速接触器 KM_3 通电动作,主触点闭合,电动机 2M 接通高速绕组,2M 加速到高速运行。其(19)区的常闭触点断开,使 KM_2 线圈释放,切断中速绕组。

KM_3(4)区的常闭触点断开,KM_3(21)区的触点断开,KT_4 失电,其触点延时闭合,在延时的过程中负载继电器 KI 不起作用。因为在中速上高速的换挡过程中,会出现较大的冲击电流。所以此环节的目的是在中速上高速的换挡过程中,使负载继电器 KI 失去控制作用。

如果负载继电器 KI 动作,则 KI(20)区的常开触点动作,中间继电器 KA_2 线圈通电并自保,其常闭触点打开。高速接触器 KM_3 不能通电,电动机 2M 只能运行在中速。

电动机的中速和高速绕组是按恒功率来设计的,以额定负载 3 t 为例,则中速的额定起重量为 3 t,而高速的额定起重量为半载 1.5 t,如果中速运行时的起重量大于 1.5 t,则经过电流互感器的电流将使负载继电器 KI 动作。如果中速运行时的起重量小于 1.5 t,则经过电流互感器的电流不会使负载继电器 KI 动作。其动作值的调整由 KM_2、KM_3 在(4)区副触点在 R_5 上的位置来进行调整。

电动机 2M 运行在高速时,如果负载突然超过半载,负载继电器 KI 将动作,其常开触点闭合,中间继电器 KA_2 将动作,而断开 KM_3 的线圈回路,使电动机返回中速运行。

低速时,KM_2、KM_3 在(4)区的副触点都断开,负载继电器 KI 的动作值要很大,在中、高速时,KM_2、KM_3 的此副触点闭合,短接了 R_5 部分电阻,使负载继电器 KI 的动作值相应减小。但是,因为电动机工作在中速状态时功率因数很低,空载电流很大,其空载电流 i_{RO} 与满载电流 i_B 相差不大,仅测量一相电流而使负载继电器 KI 动作很困难。但是,空载与满载时

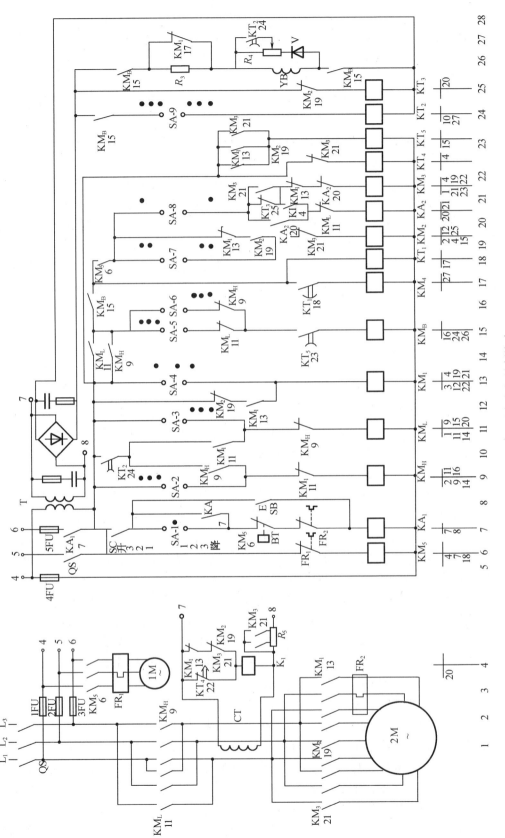

图5-4　交流三速电动起货机控制线路

的功率因数相差很大。

因此,实际的负载继电器 KI 的检测电路如图 5 - 5 所示,负载继电器 KI 流过的电流采用 B 相负载电流分量 i_B 与 CA 线电压(变压器 T 副边电压)经电阻 R_5 所确定电流分量 i_{CA},进行叠加,如图 5 - 6 所示。这样空载与满载时流过 KI 的电流值相差很大,使 KI 能比较灵敏可靠地检测起重量的变化,即空载时不吸合,满载时吸合。

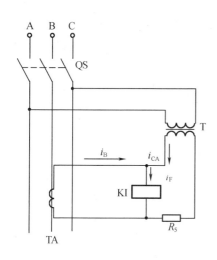

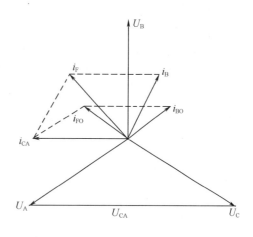

图 5 - 5　负载继电器 KI 的检测电路　　　　　图 5 - 6　负载电流向量图

(5)主令手柄从零位快速扳到上升三挡

在零位时,KM_5、KA_1、KM_1、KT_3、KT_4、KT_5 已经动作,如不考虑经过中间各挡的操作时间,则控制线路的工作情况如下:

上升接触器 KM_H 通电动作,主触点闭合使低速绕组通电。因电磁制动器还没有通电,所以电动机处于低速堵转状态。当 KM_H(14)区的触点闭合,制动接触器 KM_B 才会通电动作,KM_B(16)、(24)、(26)区的触点同时闭合,使 YB、KM_2 同时接通电源。但由于制动器的电磁惯性比较大,其吸合时间略大于 KM_2 的固有动作时间。因此将会出现短暂的中速堵转。待制动器松闸后,电动机中速启动。KM_2 动作后,其(12)、(25)区的触点打开,使 KM_1 线圈失电、断开低速绕组、使 KT_3 线圈断电,其(20)区的触点经 0.5 s 延时后闭合,当起重量小于半载时,负载继电器 KI 不动作,则 KA_2 也不动作,那么 KM_3 线圈通电,其主触点闭合,电动机从中速上升到高速运行。同时 KM_2 线圈失电,切断中速绕组。

(6)主令手柄从上升三挡(或二挡)快速扳到零位

由于原来在上升三挡时,时间继电器 KT_2 线圈已经通电,其(10)区的触点已经处于闭合状态,KM_H 线圈由自保构成通路,KT_2 用来保证电动机实现再生制动。当手柄快速扳到零位时,KT_2 线圈失电,KT_2(10)区的触点延时打开,在这段延时时间里,KM_H 线圈通过自保回路继续通电。KM_3、KM_2 线圈都断电,而 KM_1 线圈重新通电,电动机接通低速绕组。这时电动机产生再生制动。同时 KM_B 线圈也断电,但制动器 YB 线圈的电感量很大,使得流过的电流不能突变。电流将通过二极管 V、电阻 R_4 的一部分和 KT_2 的延时触点进行放电。所以电磁制动器将延时刹车。为了实现三级停车过程,当再生制动使转速降低到一定时,电磁制动器释放,产生电气、机械联合制动。当 KT_2 延时触点动作时,KM_H 线圈断电,使电动机绕组断电,最后只剩下机械制动使电动机停车。

（7）主令手柄扳到下降

下降时，主令控制器手柄从零位逐渐扳到下降各挡，或从零位快速扳到下降三挡，以及从下降三挡（或二挡）快速扳回零位等，其工作原理同上升情况相似。不同的是，下降时上升接触器 KM_H 线圈不动作，而是下降接触器 KM_L 通电动作。起货机在下降时，电动机反转，货物在自重的情况下将使电动机转速超过同步转速，这时将引起电动机的再生制动使货物稳速下降。

起货机在下降时，电动机的电磁转矩 T 与空载摩擦力矩 T_0 方向相同，并共同与负载转矩 T_L 相平衡。因此，在负载相同的情况下下降时电动机的电磁转矩比上升时要小，意味着下降时电动机定子的电流较小。所以下降高速时不需要负载继电器 KI 的控制。图中与 KA_2 线圈串联的 KM_L 的常闭副触点在下降时打开。只要手柄扳在下降三挡位置，电动机就可以进入高速运行。

（8）主令手柄从上升三挡快速扳到下降三挡

当主令手柄从上升三挡快速扳到下降三挡时，该控制线路能实现先完成从上升三挡返回零位的停车过程，然后再完成由零位到下降三挡的自动启动过程。

其动作过程如下：在手柄快速操作过程中，从上升二挡后到下降二挡前，主令开关 SA-9 是断开的，KT_2 线圈断电，在其延时范围内，其（10）区的触点尚未打开，KM_H 线圈通过自保触点仍继续通电，其（11）、（16）区的常闭触点仍不闭合。所以尽管 SA-3、SA-5 在下降时都已闭合，但由于 KM_H（11）区的触点未闭合，下降接触器线 KM_L 圈仍不能立即通电，这就避免了反接制动。由于 KM_H（16）区的触点未闭合，KM_B 线圈也不能立即通电，其（24）、（16）、（26）区的常开触点仍是断开的。第一个触点 KM_B（16）、（24）的断开，保证了 KT_2 线圈不会在手柄快速操作过程中断电后又立即通电；第二个触点 KM_B（16）的断开，保证 KM_2、KM_3 线圈不会立即通电；第三个触点 KM_B（26）的断开，又保证制动器线圈 YB 不会立即通电松闸。另外，在手柄快速操作过程中，KM_1 线圈通电，并经由触点 KM_2（12）、KM_1（12）保持其通电，所以，当主令手柄由上升三挡快速扳到下降三挡时，首先是 KT_2，KM_B 线圈断电，在 KT_2 的延时范围内，低速绕组正向（按上升方向）接入电网。YB 线圈断电，但是由于它有放电回路，将延时机械刹车，此时电动机进行再生制动，当转速迅速降低到接近 214 r/min 时，使 YB 电磁铁释放，电动机停转（但仍是低速绕组正向接入电网，电动机堵转）。再经过一个更短暂的时间，KT_2 延时结束，断开其触点 KT_2（10），起货机接触器 KM_H 线圈断电，下降接触器 KM_L 线圈通电，低速绕组经过极短暂的时间，反向接入电网，电动机堵转之后 KM_B 线圈通电，KM_2 和 YB 线圈相继通电，松开刹车，开始中速反向启动。再经过 KT_3 的延时之后，KM_3 线圈通电，电动机加速至下降三挡。

由以上分析可知，此控制的过程是按照先三级制动停车，后反向自动启动的程序进行的。这种控制方式称为"逆转矩控制"。它可以防止反接制动，允许主令手柄迅速来回扳动，而且反转过程不受手柄操作速度的影响。

（9）保护环节

图5-7中的控制线路除了重载不能上高速和逆转矩控制的保护外，还有下面一些保护环节：

失压保护：由零压继电器 KA_1 来实现。

风门开关的联锁保护：由风门开关 S 来实现。当控制电路要工作时，只有风门打开，开关 S 合上，控制电路才能通电工作，保证电动机冷却通风。

风机电动机过载、短路保护：分别由热继电器 FR_1、熔断器 $FU_1 \sim FU_3$ 实现。风机过载停转后，不允许起货机继续运行，因此，用 KM_5(7)、(18)区的常开副触点实现联锁保护。KM_5失电就会使 $KA_{1,2}$，KM_3 断电。为了使吊在空中的货物能放到地面，可通过按钮 SB 控制KM_1 通电，使电动机低速绕组工作，把货物放回地面。

电动机 2M 的过载保护：低速绕组通过热继电器 FR_2 防止电动机过载和堵转。通过温度继电器 BT，当电动机温度超过 130 ℃ ±10% 时，温度继电器 BT 触点打开，使 KA_1 线圈断电，电动机停止工作。温度时间继电器的双金属片埋在电动机每套绕组内，来检测电动机的温度。

典型任务 2 船舶锚机的电气控制调试

5.2.1 锚机概述

船上甲板机械中，绞缆机和锚机是两个主要的机械设备，在形式上一般有电动和电动 - 液压形式，个别的也有用内燃机驱动的，也有用汽动的。电动 - 液压形式的，主要设备有油泵、油马达及各种控制阀等，电动机的作用是拖动油泵恒速回转，提供动力，通过阀门控制油路驱动机械设备。电动形式的，主拖动电动机多数采用变极电动机，电动机内部有多套绕组，极对数可以改变，所以电动机同步转速不同。起货机和锚机都需做正、反方向运转，对拖动电动机都需做启动、变极调速和制动的运转控制。在传统上为了方便，大多采用主令控制器进行控制，这里以锚机为例进行拖动线路分析。图 5 - 7 是电动立式锚机示意图。

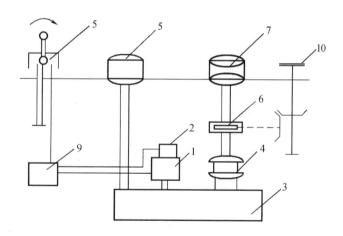

图 5 - 7 电动立式锚机示意图

1—电动机；2—电力制动器；3—齿轮箱；4—离合器；5—手柄控制器；
6—锚链轮制动器；7—锚链轮；8—绞缆筒；9—电源控制箱；10—制动手轮

5.2.2 电动锚机拖动要求和控制线路的特点

锚机和绞缆机通常做成联动机组，可以用于抛锚和起锚，还可以用作系缆。

1. 锚机的电力拖动的要求

（1）控制线路中应设有自动逐级延时启动环节。

（2）电动机要有软的或下坠的机械特性,电动机应能承受堵转 1 min,堵转力矩应为额定力矩的 2 倍。

（3）电动机应能在最大负载力矩下启动。应急起锚时,电动机应能正常启动,在 30 min 内应能保证起锚 25 次。

（4）深水抛锚时,控制系统应能使电动机工作在再生制动或能耗制动状态,以便实现把变速抛锚变为等速抛锚。

（5）控制系统应能满足在正常抛锚深度下,单锚的平均速度不小于 12 m/min,双锚不小于 8 m/min,收锚入孔一般在 3 m/min 左右。

（6）控制系统应采用电气及机械配合的制动,以满足快速停车和保护电动机的要求。

（7）应能满足在给定的航区内,单锚出土后能起双锚。

（8）要求起锚设备质量轻、成本低、调速平滑、控制简单、操作方便。

2.控制线路的特点

（1）用主令控制器来接通继电器、接触器对电动机进行正转、反转和调速控制。

（2）当主令控制器手柄从零位突然扳到高速挡时,控制线路应具有自动启动环节。

（3）控制线路应满足电动机能堵转 1 min 的要求。

（4）在深水抛锚时,控制线路应有再生制动和能耗制动的环节,以实现等速抛锚。

（5）控制线路应有短路保护、失压保护、过载保护等保护环节。

（6）控制线路应有电气及机械相配合的制动环节,以便能快速停车。

正常起锚过程示意及作用力分析图见图 5-8,典型的起锚阻力矩曲线见图 5-9。

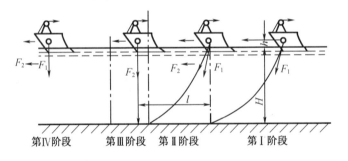

图 5-8　正常起锚过程示意及作用力分析图

5.2.3　电动锚机控制电路

图 5-10 为交流三速电动起锚机控制线路图,该控制电路是可逆的对称控制系统,用主令控制器控制继电器和接触器实现电动机的启动、停止及反转。

此电动机采用三速鼠笼式电动机,有两套独立绕组:一套为 4 极高速绕组;另一套是可变极绕组,单三角接法时是 16 极低速,双星形接法时为 8 极中速。高速和中速的转换是恒功率调速;中、低

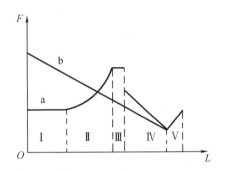

图 5-9　典型的起锚阻力矩曲线

a—正常起锚;b—应急起锚

速级采用直接启动,中速至高速按时间原则自动延时启动。

在高速运行过载时,能自动瞬时返回到中速运行;负载减轻后,要将主令手柄扳回中速后再扳到高速才能再次进入高速运行。过电流继电器 GLJ 的动作电流为高速级额定电流的 110% 。

此外,控制电路还有如下保护功能:失压保护、低速及中速级热保护,高速级过载保护,短路保护等。

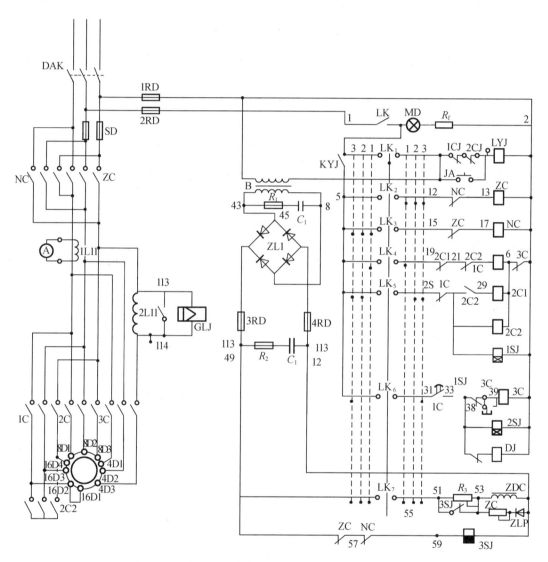

图 5 - 10　交流三速电动起锚机控制线路图

5.2.4　电路的工作原理

1. 启动与运转

合上电源开关 DAK 和控制电路电源开关 LK,则主令控制器上的电源指示灯 XD 亮。主令手柄在零位时,LK$_1$ 闭合,失压继电器 LYJ 通电,触头(3 ~ 5)闭合,控制电路获电,同时时间继电器 3SJ 通电,触头(51～53)闭合,为 ZDQ 通电做准备。

　　(1)起锚第一挡

　　主令手柄扳到起锚第一挡时,LK$_1$ 断开,LK$_2$、LK$_4$、LK$_7$ 闭合。方向接触器 ZC 和低速接触器 1C 通电,电动机绕组以三角形接法通电,同时 ZDQ 通电,制动器松开,电动机低速运行。ZC 辅助触头(15～17)断开,使 ZC 与 NC 间实现电气互锁,而 ZC 的辅助触头(59～57)断开,使 3SJ 断电,触头(51～53)延时(不小于 1 s)断开;使制动器线圈 ZDQ 串入经济电阻 R_3。

　　(2)起锚第二挡

　　主令手柄扳到起锚第二挡时,LK$_4$ 断开,LK$_5$ 闭合。1C 断电,中速接触器 2C$_2$、2C$_1$ 相继通电,电动机以双星形接法通电中速运行。2C$_1$、2C$_2$ 与 1C 间通过其辅助触头进行电气联锁。时间继电器用 1SJ 通电,触头(33～35)延时闭合,为 3C 通电做准备。

　　(3)起锚第三挡

　　主令手柄扳到第三挡时,LK$_6$ 闭合,中间继电器 DJ 通电,其触头将过电流继电器 GLJ 线圈短接,使 GLJ 在换挡过程不动作。高速接触器 3C 通电,电动机高速绕组通电,同时辅助触头(2～6)断开,而辅助触头(37～39)闭合,使 3C 线圈自锁并使 1C、2C$_1$、2C$_2$ 断电,电动机高速运行。同时时间继电器 2SJ 通电,其触头延时断开(2SJ 延时整定在电动机的额定负载时,中速级稳态转换到高速级稳态的时间,一般为 1～2.5 s),使 DJ 断电,其触头断开,GLJ 便起高速级过载保护作用。

　　高速级运行过载时,GLJ 动作,触头断开,3C 断电,使 2C$_2$、2C$_1$ 相继通电,电动机转换到中速级运行。3C 断电后,其自锁触头(37～39)断开,因而过载消失后不能自行通电,如需高速运行,其手柄必须从第三挡退回第二挡,再扳到第三挡才行。

　　主令手柄由零位快速扳至起锚第三挡时,2C$_2$、2C$_1$ 立即通电,电动机直接中速启动,经 1SJ 延时后(一般为 0.5～2 s),3C 通电,转换到高速运行。

　　当热继电器 1EJ、2EJ 过载动作时,因热继电器自动复位时间约需 2 min,在应急情况下,仍需要电动机低速或中速运行时,可按下主令控制器上的应急按钮 JA,使电动机继续强行工作。

　　2. 抛锚(反转)与停车

　　主令手柄放在抛锚各挡时,工作情况与起锚相同,仅以方向接触器 NC 代替 ZC 通电,使电动机反转。深水抛锚时,电动机在锚重的拖动下进入再生制动状态,实现等速抛锚。

　　停车时,主令手柄扳回零位,电动机电源被切断,制动器断电进行机械制动,电动机迅速停止运行。

典型任务 3　船舶舵机的电气控制调试

5.3.1　舵的工作原理

　　舵位于船纵剖面上,操纵舵机使它转动。舵由舵叶和舵杆组成,舵叶通过舵杆垂直安装在船尾的螺旋桨后面,如图 5-11(a)所示。

　　在船舶航行时,若舵叶处在正舵位置时,由于作用于舵叶两侧面的水流速度相等,所产生的压力也相等,因而舵对船舶的航向基本上没有什么影响,也就是说船是沿直线航行的。

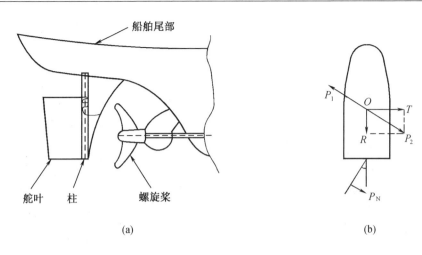

图5－11　舵的工作原理

　　如果舵向左偏转一个角度(又称舵角)，这时舵叶两侧的水流速度不再对称，作用于舵叶上的压力也失去平衡，因而产生一个垂直于舵面的方向力 P_N，根据力的分解，在船舶重心 O 点，加一对大小等于 P_N，而方向互为相反的力 P_1 和 P_2，则 P_1 和 P_N 形成力矩偶，即产生转动力矩，迫使船舶绕自己重心向左转动，如图5－11(b)所示。而 P_2 力又可分解为船舶纵向分力 R 和横向分力 T，分力 R 构成船舶前进的阻力，使船舶减速(慢)，分力 T 则使船舶产生横向漂移，由于 P_N 与船舶重心 O 并不一定在同一平面内，因此，在船舶转向的同时，还伴有纵倾和横倾的现象。

5.3.2　舵机电力拖动方式与对电控设备的要求

1. 舵机电力拖动方式

　　舵机按拖动方式目前主要分为电动机械传动舵机和电动液压传动舵机两类。电动机械舵机系统(如图5－12所示的系统)的换向(左舵、右舵)和调速是在电动机方面进行的，因此对电动机及其控制系统有一定的要求。另一类为电动液压舵机(如图5－13所示的系统)，它的换向和调速是在油泵或油路中进行的，对于拖动油泵的电动机没有特殊要求，在交流船舶上，一般采用鼠笼式异步电动机，在整个航行期间，油泵始终是以定速、定向运转的。

　　目前海船上的电动舵机系统如图5－12所示，采用发动机电动机系统的较多。电动机通过蜗轮蜗杆、扇形齿轮等机械转动机构，再经缓冲弹簧带动舵柄和舵叶转动。电动机电源由发电机供给；交流异步机作为发电机的拖动原动机。

　　图5－13为电动液压舵机系统原理示意图，它由一台单向恒速运动的交流电动机拖动一台双向变量泵，该油泵向活塞式液压油缸提供高压油，由液压缸装置驱动舵叶偏转，通过拉杆移动变量泵的偏心，可以改变液压缸左右进油油路的方向。在图5－13(b)上，控制左右电磁阀的接通与断开，可以控制液压伺服机构活塞杆左右方向移动，也就是该伺服机构的拉杆可以去移动变量泵的偏心，从而改变舵叶转动的方向。

　　在图5－13(b)上，电磁阀A、B是原理表示图，当左电磁阀A通电时，油泵中油经箭头所示油路，流入右侧油路进入伺服机构，使伺服机构活塞左移，油缸中左侧油压向油槽中间去，箭头表示油路通向；当右电磁阀B通电时，油路刚好相反，而拉杆反向拉动变量泵偏心，从而控制舵叶的左右偏转。

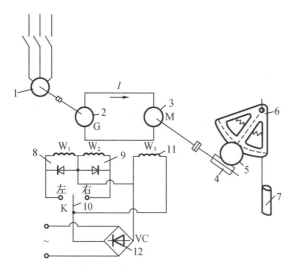

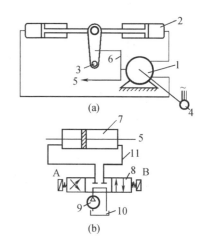

图 5 – 12　电动机械舵机系统

1—拖动电动机;2—发电机;3—舵机电动机;

4—蜗杆;5—蜗轮;6—扇形齿轮;

7—舵叶;8,9—发电机正、反向激磁线圈;

10—操舵开关;11—电动机激磁绕组;12—整流器 VC

图 5 – 13　电动液压舵机系统

原理示意图

1—双向变量泵;2—液压缸;3—舵柱;

4—拖动电动机;5—拉杆;6—三点式反馈杆;

7—伺服机构油缸;8—电磁阀;9—油泵;

10—油槽;11—油路

对于小型船舶,由于功率小所以省去了中间级,电磁阀直接控制油泵和液压缸中油路流向,使舵叶偏转,转舵形式比较简单,如图 5 – 14(a)所示。

2. 舵机操控系统对电控制设备要求

船舶舵机系统供电应由主配电盘直接从左右两舷两路独立馈电,其中一路还应与应急配电盘相连接,这样就保证了供电可靠性。

在拖动方面要求有关电动机采用连续工作制,对于电动机械舵机,电动机具有软的机械特性,使其有足够的过载能力。

在操舵方面,要求船舶在最大航速前进时,不仅能将舵转到最大角度,并且有足够的转动速度。对海船来说,要求从一舷最大舵角(35°)转到另一侧最大舵角所需时间不超过 30 s。对舵的操纵至少应有两个控制站,分别设在驾驶室和舵机室内,控制站间要有转换开关。

5.3.3　操舵方式

1. 单动操舵

单动操舵是手动操舵的装置,在老式船上或小型船上,它是主要的操舵设备,其结构简单,工作可靠。它的操舵方式是把操舵手柄向左或向右扳动,或者按动左舵或右舵按钮,由此来切换电路,使舵叶左转或右转。在操舵时由舵工观察舵角指示器的指示,以此来确定操舵动作。

在图 5 – 12 电路图上,单动操舵是通过转换开关 K 进行操舵的,船舶交流电压经整流器 VC 向直流发电机 G 的激磁绕组 W_1、W_2 和直流电动机 M 的激流绕组 W_3 供电。当船舶向左偏航时,则操右舵,使船回航,即开关 K 摆向右侧,W_2 通以激磁电流,发电机 G 发出电

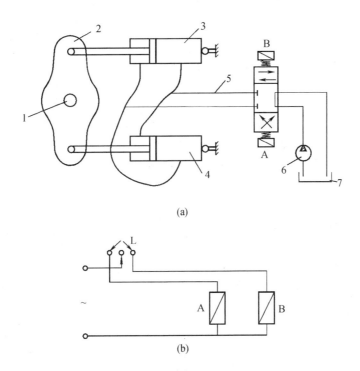

图 5 – 14　小型舵机转动形式与单动操舵

1—舵柱;2—转舵机构;3,4—液压缸;5—油路;

6—油泵;7—油槽;A,B—控制油路电磁阀

压,输出电流 I,电动机 M 顺时针方向转动,经过蜗轮蜗杆,扇形齿轮转动,使舵叶右偏。当右偏到符合要求的角度(由舵角指示器观测)时,开关 K 再复位到零位。发电机激磁消失,输出电压为 0,舵叶就停在右舵某一角度上。当船舶在右舵作用下逐渐回到正航向的过程中,必须回舵,回舵时又将开关 K 扳到左侧,W_1 绕组激磁(与前者相反,电动机反转)。当偏舵角逐渐减小,舵叶逐渐接近艏艉线时,开关 K 也应复零位,此时船舶也回到正航向上。当船舶向右偏航需操左舵予以校正,与上述过程相反。

在电动液压舵机系统图 5 – 14(a)中,单动操舵是通过转换开关直接控制左右舵电磁阀来实现的,如图 5 – 14(b)所示。当控制开关 L 扳向左方,则 A 电磁阀接通,控制伺服机构拉杆左移,从而控制舵叶左偏;当 L 开关扳向另一方,则 B 电磁阀接通,舵叶右偏,其操舵过程与上述完全相同。

2.随动操舵

随动操舵又叫跟踪操舵,也是用手轮操舵的一种方式,它的特点是舵工把操舵手轮转到某一指令舵角,舵叶就跟随手轮转动方向转动同一大小的偏舵角。如果手轮转到左舵 10°位置时,舵叶就向左跟转到 10°的舵角位置停下来。当手轮又复转到零位(中间位置)舵叶也跟随转到船舶艏艉线上停下来,所以随动操舵时,舵叶偏转角度与操舵手轮的指令角度位置是相一致的(图 5 – 15)。

虽然随动操舵的具体电路各不相同,但就发送、接收的元件上来说,用得较多的可分成两大类,一类为电位计型,另一类为无触点自整角机型。

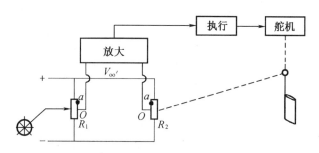

图 5 - 15　电位计型随动操舵

（1）电位计型

操舵手轮轴和舵叶轴分别带动两个电位计的中心滑动点组成电桥电路,如图 5 - 15 所示。

当操舵手轮和舵叶都在中心位置时,电桥中电位计滑臂都在中间位置,电桥输出为 0, 即 $V_{oo'} = 0$。如当操舵手轮转过某一角度,则电位计 R_i 中心点移到某点,而舵叶此时未转,故此时有电桥输出,其电压偏差为 $+V_{oo}$,经放大控制舵机转向,使舵叶偏转,在舵叶偏转过程中通过舵角反馈电位计滑动中心点 O 移动到 a,负反馈使电桥重新平衡,使放大器输入电压 $V_{oo'} = V_{oo}$,使执行机构停止工作,舵叶停止偏转,指令舵角与实际舵角相一致,此时操舵手轮返回到指令舵角为 0 时,由于 $V_{oo'}$ 出现反向,使舵叶也回复至零,停止偏转。

（2）无触点自整角机型

以自整角机作为发送和反馈元件的系统,其原理示意如图 5 - 16(a) 所示。操舵手轮轴通过机械连接转动发送的自整角机转子,则在自整角机的三相绕组中输出交流电压,常利用其中两相绕组输出正弦交流电压。假定起始位置设在 0 位,即自整角机输出 $V_{oo} = 0$。当操舵手轮向左或向右转动时,分别可以得到两个相位相反的 $V_{oo'}$ 的交流电压。如图 5 - 16(b) 所示,一个为实线所示,另一个为虚线所示,其大小随转角大小而变化。根据不同转向和转角大小,通过相敏整流电路,如图 5 - 17 所示,转换成具有一定极性(反应自整角机转子转向)和大小(反应自整角机转角大小)的直流输出电压。在图 5 - 17 上,假定在某一瞬间自整角机输出电压与参考电压瞬时电压极性如图 5 - 17 中 +、- 所示,则按两个电源电压叠加得电流流向,输出应为 $+V_{oo}$ 电压。而在交流另一半波时,各极性用正负 +、- 表示,但输出电压 V_{oo} 仍为正的值,在自整角机 ±45° 转角范围内,其大小几乎与操舵手轮转动角度呈线性关系,当转角增大时,相敏整流电压也随之增大。当操舵手轮反向操作时,因为

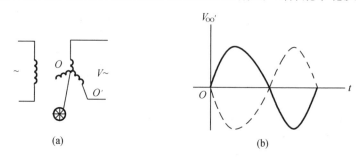

图 5 - 16　自整角机输出电压

参考变压器极性未变,而发送机输出极性与上述刚好相反,所以在交流的正负半周内,输出反极性电压为 $-V_{oo}$。

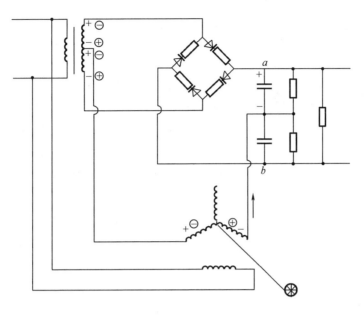

图 5 - 17　相敏整流电路

图 5 - 18 中,在舵角反馈电路上也有一个相同的相敏整流电路,它把舵角的变化转换成相应极性的电压。它与操舵手轮所控制的相敏整流电压相比较,产生的误差电压经放大去控制相应的执行机构和舵机,构成一个完整的跟踪系统。

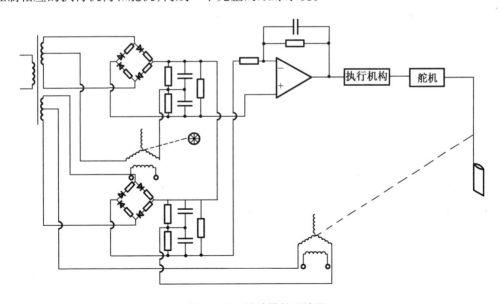

图 5 - 18　随动操舵系统图

　　如图 5 – 19 所示为舵机电气控制原理图,图中舵机执行电机为电动机,利用电动机正、反转控制来达到船舶舵机正、反转动的目的。L_1、L_2 为单动操舵左、右按钮,LW 为操作转换开关。电动机的停止采用能耗制动环节。KL_1、KL_2 为舵角转动的极限保护。如图 5 – 20 所示为电子控制部分,由操舵手轮与舵叶带动的自整角机各经相敏整流比较后进入第一级放大电路,然后连接死区调节回路,如图 5 – 20 中部电路图所示,调节 W 的大小可以改变 CD 两端 + 、– 电压以获得如图 5 – 21 所示的特性,U_0 在 – 12 V 时晶闸管 SC_{R1}、SC_{R2} 截止,而 U_0 在 + 12 V 时,晶闸管 SC_{R1}、SC_{R2} 导通,因此舵机电动机正、反向转动。通过舵机转角的变化,经相敏整流后负反馈到输入端与发送机相敏整流电压平衡,晶闸管是通过阳极过零电压关断的。调节 W 可调节切换点电压,使操舵灵敏度得到调整,该电子控制部分经 K_1、K_2 继电器输出去控制图 5 – 19 中的 KM_1 和 KM_2 正、反向接触器,使电动机正、反转从而控制左、右舵运转。

　　通过船舶操舵电气控制线路的了解,在分析和计算该电子控制线路的基础上,实际制作其中某一部分线路。

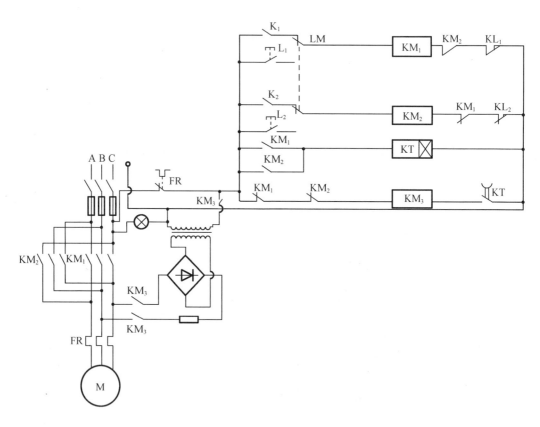

图 5 – 19　舵机电气控制原理图

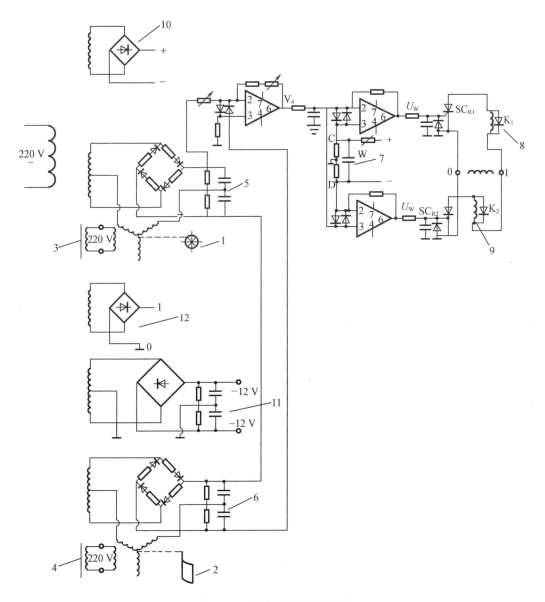

图 5 – 20　舵机电子控制原理

1—舵机手轮;2—舵叶;3,4—自整角机激磁电源;5,6—相敏整流电路;7—死区灵敏度电路;
8,9—左、右舵控制继电器;10—灵敏度调节电源;11—运放电源;12—晶闸管电源

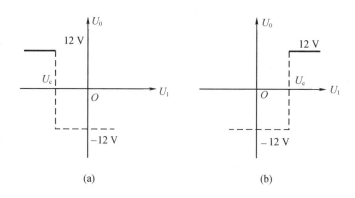

图 5 – 21　运放输出电压图

典型任务 4　船舶制冷系统的电气控制调试

5.4.1　概述与制冷原理

自从制冷装置问世以来,迄今不过百余年的历史,但人工制冷却已广泛地应用于工农业生产、医疗事业及国防科研等各个领域。在近代船舶上,制冷也同样获得了广泛的应用。

船舶制冷的目的是为了实现各类货物、食品的冷藏运输和为船员旅客冷藏必要的食物。制冷系统的基本原理是将低温低压气态冷剂在压缩机的作用下压缩,成为高温高压气态冷剂。在冷凝器冷却后成为低温低压的液态冷剂放在存储器中,当冷库的供液电磁阀打开时,液态冷剂进入冷库蒸发器汽化。从冷库中吸收大量热量,使冷库温度降低(选择汽化温度很低的液态制冷剂如氟利昂,吸热后的气态冷剂再回到压缩机的吸入口,循环使用,其系统图如图 5 – 22 所示。

5.4.2　船舶制冷系统的组成

船舶制冷系统是一个大系统,里面包含几个子系统,如冷库温度系统、压缩机启停控制系统以及冷却水量调节系统等,它们通过制冷剂循环使几个系统联系起来。

1.温度控制系统的控制过程

温度控制系统的控制过程如图 5 – 23 所示。

当冷库内温度上升到温度继电器 KT 的高温稳定值时,测温元件 T 使 KT 触点接通,打开电磁阀 YV,液态制冷剂经膨胀阀进

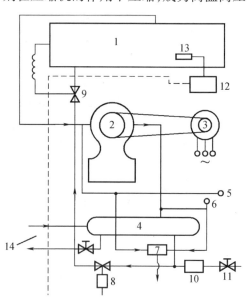

图 5 – 22　制冷系统图

1—冷库;2—压缩机;3—电动机;4—冷凝器;5—入口压力表;6—出口压力表;7—压力开关;8—供液电磁阀;9—膨胀阀;10—过滤器;11—充液气阀门;12—温控器;13—测温器;14—冷却水循环

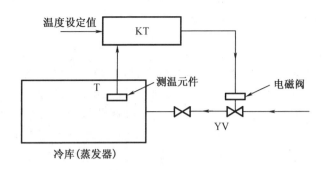

图 5 - 23　温度控制系统的控制过程

入蒸发器吸热,使冷库的温度逐渐降低,当温度降低到温度继电器 KT 的低限整定值时,电磁阀关闭,制冷剂停止进入蒸发器,周而复始,控制温度达到给定值。

2.压缩机启停控制

制冷剂的循环使用是由压缩机的正常运转保证的,压缩机的电动机启停是由一个装在压缩机的入口处的压力双位开关(KP)控制的。

如图 5 - 24 所示,当来自冷库蒸发器的低温低压气态制冷剂流到压缩机吸入管,使入口压力上升到压力继电器 KP 的某一整定值时 KP 动作,通过控制器启动电动机 M,于是压缩机工作使入口处

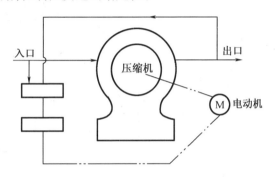

图 5 - 24　压缩机启停控制

的低温低压气态制冷剂吸入并压缩成高温高压气体,进入冷凝器冷却成液态高压冷剂,供系统循环使用;当入口压力下降到 KP 的某一整定值以下时,则停止压缩机工作。在图 5 - 24 中,KP 压力开关同时也接受压缩机出口处的冷剂压力,当压力超过规定压力时,使 KP 高压开关动作,断开电动机电路,保护压缩机。

3.冷却水量调节

冷却水量的调节是以冷凝压力为信号,经调节以后,自动调节水量调节阀。它装设在冷凝器的进水管上,调节冷却水流量,以保持和稳定冷凝压力,如图 5 - 25 所示。

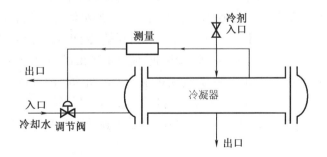

图 5 - 25　冷却水量调节

5.4.3 制冷系统有关的自动化元件

1. 热力膨胀阀

由于冷库的热负荷是经常变化的,所以制冷装置的制冷量也需做相应的变化以保持两者的平衡,为此必须及时地调节供入蒸发器的制冷机流量,而热力膨胀阀就是可依蒸发器出口制冷剂蒸汽过热度的变化来调节供液量的一种调节机构。由于热力膨胀阀还同时对制冷剂起节流降压的作用,所以又称为节流阀。如图5-26所示,供入热力膨胀阀的液态制冷剂经针阀调节流量并节流降压后进入蒸发器。制冷剂在蒸发器管中吸热蒸发,流至出口处时已成为过热蒸汽,这样放置在出口处的温包会感受到该处制冷剂蒸汽的温度。由于温包中充有二氟一氯甲烷或乙烷等低沸点液体,所以在温包感受到一定温度后,其中的充剂就会对应地产生一定的饱和压力,经毛细管传递到膜片的上方,并经膜片自上而下地力图将针阀开大、关小,以增大或减少制冷量流量。

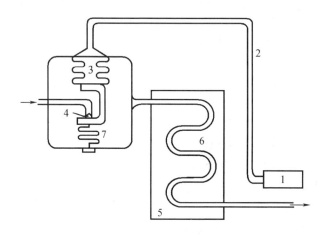

图5-26 热力膨胀阀

1—温包;2—毛细管;3—波纹管;4—针阀;5—冷库;6—蒸发器;7—弹簧

2. 温度控制器

如图5-27所示为温度控制器原理图。当温包感受的温度较低时,在主弹簧8的作用下,杠杆处于水平位置。止动螺钉14碰到底板上,动触头10与定触头12断开,供液电磁阀关闭。当温包感受的温度升高时,杠杆沿逆时针方向偏转(刀口支点在5处)。起初只需克服主弹簧的拉力,但当螺钉6压住幅差弹簧13后,杠杆的继续偏转就必须同时克服主弹簧8的张力。当温度升高到调定值的高限时,由于杠杆偏转的程度已使弹簧片9积累了足够的弹力,所以动触头10会迅速与定触头12接通,使供液电磁阀通电开启。当温包感受的温度回降时,由于主弹簧和幅差弹簧的共同作用,杠杆就要沿顺时针方向偏转。当杠杆偏转了某一角度致使螺钉6与幅差弹簧座脱离后,杠杆偏转就仅仅受到主弹簧的作用。当库温降低到调定值低限时,动触头10在弹簧片的作用下又会迅速与定触头断开,供液电磁阀随之关闭。

通过以上分析可见,主弹簧拉力的大小决定着温度控制器触头断开时被控温度的高低,亦即决定着调节值的低限;而幅差弹簧张力的大小则决定了触头闭合温度和断开温度的差值,亦即决定了调整值的高限。

3. 压差控制器

压差控制器又称油压差继电器,它是一种以滑油压差作为控制信号的电开关,用来在滑油泵排、吸两端的差压低于某一调定值时自动切断压缩机的电路,以实现保护性停车。因为在正常情况下,流过压缩机润滑点的滑油是否充足主要取决于滑油进出润滑点的压差,且由于压缩机在启动时总需经历一定的时间才能建立正常的滑油压力,而且压缩机也允许在缺油的情况下工作一个很短的时间(对活塞式制冷压缩机一般为50~90 s),所以暂时性的滑油压差不足并不需要立即停车,因此,在压差控制中就需设油延时机构。

压差控制器包括延时用双金属片、电加热器和双金属片弯曲变形而动作的延时开关,因此压差控制器主要由压差开关、电加热元件和延时开关触头组成,如图 5 – 28 所示(图中双金属片等元件未画出)。在油压

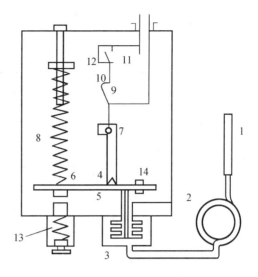

图 5 – 27 温度控制器原理图

1—温包;2—毛细管;3—波纹管;4—杠杆;
5—刀口支架;6—螺钉;7—拨臂;
8—主弹簧;9—弹簧片;10—动触头;
11,12—定触头;13—幅差弹簧;14—止动螺钉

建立前,差压开关闭合,加热元件通电,若在设定时间(如 90 s)内建立起油压,则差压开关断开,延时开关触头不动作,否则延时开关触点断开。其具体应用线路可参考下面第 5 点中的控制电路图。

4. 压力继电器

压力继电器是用压力作为控制信号的电开关,在制冷装置中,压力继电器常用作为直接控制压缩机启停的安全保护设备。按压力控制范围的不同,压力继电器可分为低压和高压继电器,其基本原理相同,有时同装在一个盒内。低压继电器是以吸入压力为信号,

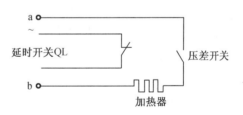

图 5 – 28 压差控制器

用于控制压缩机启停,以使吸入压力保持在调定的范围内,从而维持库温的稳定;而高压继电器是以排出压力为信号,用来防止压缩机排出端的压力过高,起高压保护作用的。图 5 – 29 所示为压力继电器图,对低压继电器、压缩机吸入口压力经波纹管 1 与主弹簧 4 的压力相抵消,使摆动杆 2 上下摆动,当入口压力升高时,摆动杆将沿逆时针方向偏转,压缩主弹簧,同时放松幅差弹簧 3。在摆动板右端上移 ΔS_1 后,由于限位架已被支架钩住。幅差弹簧的影响即行消失,此后摆动板的继续偏转就与幅差调节的拉力无关了。摆动板的右端又要上移 ΔS_1 距离。而摆动板的左端则压动微动开关。此时,动触头 a 即会在弹簧的作用下,迅速地由触头 b 跳向触头 c 使电路接通,使压缩机随之启动。当吸入压力下降时,摆动板在主调弹簧的张力作用下,沿顺时针方向偏转,其右端在限位架的长孔中自由下移,并在移动一段 ΔS_2 的距离后到达长孔的下部边缘。这时幅差弹簧的拉力就要阻碍摆动板继续偏转,从而使吸入压力只有降低到更低的程度时电触头才能转换。当吸入压力降低到调定值的低

限时,摆动板右端又将下移一段 ΔS_1 的距离,这时摆动板左端就会将开关动触头 a 从 c 跳回 b 端,切断电路,使压缩机停机。压缩机控制电路图如图 5 - 30 所示。

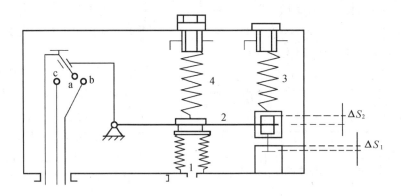

图 5 - 29　压力继电器图

1—波纹管;2—摆动杆;3—幅差弹簧;4—主弹簧;5—压缩机控制电路图

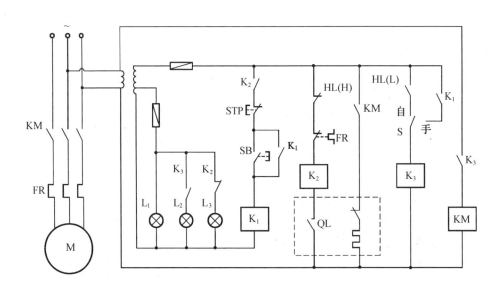

图 5 - 30　压缩机控制电路图

5. 压缩机的启停控制

要使制冷系统能安全可靠地工作,电气控制必须具有以下的环节。

(1)高压保护

当压缩机正常工作排出压力过高时,压缩机应自动停止运行以保护压缩机以免损坏。

(2)滑油压力保护

要使压缩机正常工作,应在压缩机运行后建立一定的滑油压力,否则应停止压缩机运行。

(3)电动机过载保护

当接通电源后,电源指示灯 L_1 亮,表示电源正常。当压缩机出入口压力正常时,高低压开关的高压接点 HL(H)闭合。在停机状态下,油压开关中延时触头 QL 闭合,压缩机电机不过载。FR 触头闭合,则中间继电器 K_3 通电吸合,其触头接通启动电路电源,当按下启动按钮 SB 后,K_1 继电器闭合,并自锁,操作开关 S 在手动情况下,接通 K_3,它的触头接通主电路接触器 KM,使压缩机电动机 M 启动,按下停止按钮 STP 时,电动机即停止转动。在自动操作情况下,操作转换开关 S 拨向"自动"位置,当压缩机入口压力高于某一整定时,HL(L)触头闭合,使 K_2 继电器自动接通,压缩机自行启动,当入口压力低于某一值时,断开 K_3 继电器,电动机即停止。图 5 – 30 所示电路图中,L_2 为运行指示灯,L_3 为故障显示指示灯。

　　(4)冷库温度控制及自动融霜

　　冷库温度控制及自动融霜电路如图 5 – 31 所示,图中融霜定时器实际上是由一个小型电动机带动的钟表机构和电气触头组成的,它可以通过调节旋钮,调节制冷期、融霜期及其间隔的长短。当系统运行在制冷期时,定时器的触头 1 与 3、2 与 5 接通,如制冷 2 h 后转入融霜期,则触头 1 与 4、2 与 6 接通,如融霜期设为 5 min,5 min 后则又转入制冷期,周而复始。在制冷期,因为在图 5 – 30 中 K_1 接通,表示压缩机运行正常,所以在图 5 – 31 上,K_2 触头闭合,使继电器 X_0 获电,接通温控电路,为冷库温度控制开关 TH 及供液电磁阀 V 工作准备条件,当工作在自动操作情况,钟表电动机使之运转,若在制冷情况下,则 X_1 继电器通电。当冷库温度又高于设定上限值时,TH 也接通继电器使电磁阀支路通电,打开电磁阀 V,则冷剂流入冷库的蒸发器制冷,同时,定时器触头 2 与 5 接通,则风机接触器 F 工作,蒸发器风机运行,使冷库制冷均匀。过 2 h 后,定时器转入融霜期间,使触头 1 与 3、2 与 5 断开,而 1 与 4、2 与 6 接通,则融霜加热器 W_1 及盘管加热器 W_2 工作,这里所说加热器实际是通电热器,使霜冻融化。当冷库温度降低到设定值的下限值时,温度开关 TH 断开,使供液电磁阀失电关闭,使冷库停止制冷。

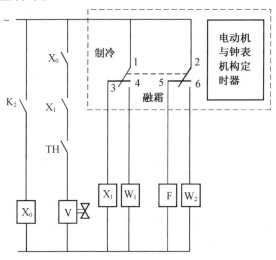

图 5 – 31　冷库温度控制及融霜电路

　　6.制冷系统的发展

　　随着制冷技术的发展,人们会深入地思考什么样的系统才是真实的优化系统?因此提出了优化的性能指标问题。船舶制冷系统从运行原理与特点分析,它是一个大的系统,里面包含着多个子系统,如冷库温度控制和压缩机的启停控制,以及冷却水自动调节等,所以研究系统优化,应从整个大系统出发,既要考虑多个系统的存在,又要涉及内部的互联关系。因此,一个优良的冷库系统,必须使冷库温度保持在规定的范围内,而同时又要注意系统的能量节约。当然加强设备运行的可靠性,也是一个重要的发面,关于这一点,应通过合理的设计、选用可靠元件与工艺去解决。因此上述问题中,重点将探讨两个方面的内容,即温度与能量。

目前有几种方案考虑船舶制冷的发展倾向,在实践中采用卸缸、变频调速及变蒸发温度等。

(1)卸缸

在保证独立的温度控制前提下,随热负荷大小自动增减压缩机运行台数或增减压缩机行的汽缸数,即继续改善和发展卸缸节能办法,使机械机构更加简单可靠。

(2)变频调速

随着交流电动机变频调速技术的发展,一方面,无论从元件可靠性及应用方面都日趋成熟;另一方面,从理论上也推论了压缩机负载基本属恒转矩性质,又分析了转速与能量的关系,因此对于恒转矩下采用压缩机电动机的变频调速控制,以转速来间接调整和节省能量。因为当负荷减少时,降低转速、节约能量,所以制冷系统优化性能指标又引入了压缩机的转速控制量以获得最小的耗能。

(3)变蒸发温度

近年来日本水产分配中心采用了变蒸发温度控制方案(而常规的蒸发温度是一定的):当热负荷大时,使系统在低的蒸发状态下进行,使蒸发器产冷能力增大;反之,当热负荷少时,升高蒸发温度,使蒸发器产冷量减少。这样的制冷装置的运行电耗将显著降低,对节能很有利。在理论上,随着制冷系统控制技术发展,逐渐对系统的数学模型进行研究、动态仿真,并同时进行有关的参数计算,除此外,控制上采用 PLC(可编程序控制器)代替原继电系统和指示仪表,也都是较好的发展方案。

典型任务5　船舶辅助锅炉的电气控制调试

船舶辅助锅炉是船舶动力装置中的一个重要设备,也是一个较复杂的大系统。在蒸汽动力装置中,船用锅炉称为主锅炉;在内燃动力装置中所使用的锅炉称为辅锅炉,在油轮辅锅炉中所产生的蒸汽要加热货油,驱动甲板机械,其蒸发量和蒸汽压力都比较大。在货船辅锅炉所产生的蒸汽压力仅用于加热柴油机所需用的燃油、滑油及供船员生活用(一般小于 5 t/h)气压一般低于 1 MPa。锅炉电气控制的内容包括水位高度双位控制、蒸汽压力控制、燃烧时序控制以及安全保护报警等内容。现将各组成部分做一概要介绍。

5.5.1　锅炉水位控制

实现水位双位控制的方法有很多种,如采用磁性水位开关、压力式水位继电器等。下面要介绍的是电极式双位水位控制电路。所谓双位水位控制是指锅炉的水位允许上下限之间波动。当水位降到下限水位时,自动启动给水泵向锅炉供水,锅炉水位逐渐升高;当水位到达上限水位时,自动停止给水泵工作,停止给锅炉供水,因此锅炉在工作时,水位不会稳定在某一水位上,这种双位控制的水位检测元件常用浮子式和电极式。在基础实践篇章中曾示出电极式双位自动控制的原理图。电极式水位反映了锅炉的实际水位,由于炉水有一定盐分,所以是导电的,电极室中的两个电极分别控制允许的上下限水位,另一根电极用于危险低水位报警。线路中有两个二极管组成的桥式整流电路,其详细工作过程见前面的基础实践,此处不再说明。一般来说,在允许波动的范围内,高低水位电极之间的距离不要调整得太小,否则给水泵电动机启停频繁影响使用寿命。如果给水系统发生故障,水位会一直降低,当水位下降到危险电极露出水面时,继电器断电接通其他线路发出声光报警。

一般辅锅炉都装有两个电极室,一个工作,另一个备用。电极室由于长期使用,其中水的纯度会提高,电极及电极室壳体会结水垢,使电极室的导电性能降低,因此电极室要定期放水和清洗。在实际锅炉运行期间还应注意在锅炉蒸发量突然变化时间内,电极室内的水位与锅炉实际水位一致的问题。当锅炉水受热面上不断形成气泡,并脱离受热面升起而进入锅炉的蒸汽空间时,有时水位会产生虚假地上升现象;反之,当锅炉负荷减少时,水位却会虚假地下降,即产生假水位现象。鉴于上述原因,在质量要求较高的水位控制中,水位控制输入信号除了有水位变化信号外,还考虑蒸汽流量变化的信号作为修正量。另外在给水调节阀上,在控制时,改变给水调节阀的开度实际上是改变调节阀的流通面积 F。但是一个给水调节阀的流量 $G = \mu F \sqrt{\Delta P}$,是在调节阀前后压差 ΔP 一定的条件下,阀的开度(即阀流通面积)才与流量成正比,当阀前后压差在改变的情况下,控制就不一定正确,为此还应有其他控制回路来实现压差 ΔP 为一定值的措施,在此就不一一赘述了。

5.5.2　锅炉的蒸汽压力双位控制

在绝大多数燃烧蒸汽压力双位控制中,在蒸汽管路上装两个压力检测开关,它们动作整定值不同,当气压下降到允许的下限值时,两个压力检测开关都闭合,控制系统自动启动,风门电动机开得很大,它的同轴所带动的回油阀关得最小(这是采用一个油头工作的情况,对采用两个油头工作的锅炉是打开两个供油电磁阀,使两油头同时喷油),这时喷油量和送风量都最大,即锅炉进行所谓"高火燃烧"。当气压上升到正常上限值时,一个压力开关闭合,另一个压力开关断开。再次启动风门电动机把风门关得最小,它同轴带动的回油阀开得最大(或关掉一个燃油电磁阀,只使一个油头喷油工作),这时喷油量和送风量都是最小的,即锅炉进行所谓"低火燃烧"。当锅炉上升到高压保护值时,两个压力开关均断开,自动停炉,发出报警信号。当气压下降到下限值时,两个压力开关再次闭合,启动锅炉燃烧程序。在小型锅炉燃烧蒸汽压力双位控制中,也有用 3 个压力开关来实现的。一个压力开关利用回差来进行压力控制;另一个用来进行主机废气阀关闭、开启控制;第三个压力开关用来进行超压报警的保护功能。例如当蒸汽压力在 0.4 ~ 0.46 MPa 范围内,锅炉属于压力正常范围。如果设定压力开关 KP_1 整定在 0.46 MPa 时断开,而压力回复到 0.4 MPa 时,又进行闭合;若当压力超过 0.49 MPa 时,使 KP_3 压力开关动作,切断主机废气至锅炉的通路,停止主机废气向锅炉提供热能;当蒸汽压力因故仍继续上升,当上升至 0.51 MPa 时,KP_2 动作接通报警回路,发出声光报警。下面辅助锅炉燃烧控制系统的压力开关就是采用上述原理工作的。

图 5 - 32 是一个辅助锅炉的电气控制线路图。该辅助锅炉适用于燃烧轻、重柴油,同时也可用主机废气余热进行加热,它属燃油废气辅助锅炉,其控制线路简单,但具备了各控制环节和各种检测元件,配合其他电气小系统,可用于实践教学,现分析其工作原理。

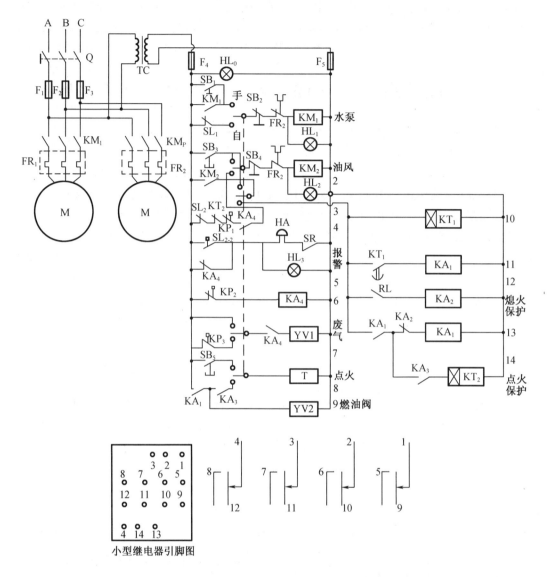

图 5 - 32   船舶锅炉燃烧电气控制原理图

1. 手动控制

合上电路开关 Q,操作转换开关 SA 转到"手动"挡位置。进行操作时,先按下水泵电动机启动按钮 SB_1,水泵启动,向锅炉注水。水位达到正常水位后,按下油泵 - 风机启动按钮 SB_3,油泵 - 风机启动进行扫气,经一定时间后,按下点火按钮 SB_5,手动打开燃油电磁阀 YV2 的旁通阀,向炉膛喷油,电点火时间要控制在 4 ~ 5 s,如果点不着火,应停止点火并关闭燃油阀。

在手动控制时,如果遇到过低水位,即 SL_{2-2} 闭合,或蒸汽压力超压时,KP_2 的动作(断开)。KA_4 失电,接通报警电路及关闭废气阀 YV_1。

2. 自动控制

操作转换开关 SA 转到"自动"位置。如果锅炉水位正常,水位继电器触头 SL_1(1)闭合

(触头符号后面括号内的数代表元件处在哪一条电气支路上的号码),该触头在最高水位时才断开;SL_{2-1}(4)代表正常水位时闭合,在低水位时断电;SL_{2-2}(5)代表到达危险水位以下时闭合。压力继电器开关触头 KP_1(4)、KP_2(6)、KP_3(7)是闭合的,所以中间继电器 KA_4(6)线圈通电,其触头 KA_4(4)和 KA_4(7)闭合。KA_4(7)闭合使废气电磁阀 YV_1(7),通电打开主机废气阀。

压力正常范围为 0.4 ~ 0.46 MPa。KP_1(4)压力在 0.46 MPa 时断开,即切断 KM_2 线圈,使油、风机电路断电,压力回复到 0.4 MPa 时再次闭合。压力超过 0.49 MPa 时,KP_3(7)断开,切断主机废气加热阀 YV_1(7)电路,停止主机废气加热。压力在 0.51 MPa 时,KP_2(6)动作(指断开),KA_4(6)线圈断电,使支路 5HA 和 HL_3 通电报警和指示,同时切断废气阀电路和风、油机电路。SR(5)是警铃消声按钮,它平时是闭合的,声响后,为消声可人工切断。图 5 - 32 下面的小型继电器引脚图,有助于故障寻找。

废气进入锅炉,KA_4(4)闭合使油泵 - 风机接触器 KM_2(2)线圈通电,油泵和风机电动机启动运行,同时时间继电器 KT_1(10)线圈通电,延时(10 s)闭合其触点 KT_1(11)。在此期间,鼓风机向炉膛鼓风,进行预扫气以防止锅炉内残存的油气在点火时发生"冷爆"。预扫风的时间根据锅炉的结构形式不同而异,一般可达 10 ~ 60 s。扫气结束,中间继电器 KA_1(11)线圈通电,其触头 KA_1(8)和 KA_1(13)闭合。KA_1(8)闭合使燃油电磁阀 YV_2(9)通电打开,燃油经喷油器喷入炉膛;KA_1(13)闭合,使 KA_3(13)线圈通电,其触头 KA_3(8)闭合,点火变压器 T_1 通电,进行点火;KA_3(14)闭合,温度继电器 KT(14)发热元件通电,开始点火计时(5 s)。在此期间,如能点着,光敏电阻 R 感光后(见图 5 - 34),阻值降低使 RL 继电器动作使(12)支路触头触头闭合,使中间继电器 KA_2(12)通电,在图 5 - 32 中其触头 KA_3(13)断开,使 KA_3(13)线圈断电,触头 KA_3(8)打开,切断点火变压器 T_1 电源,点火停止。锅炉自动启动过程结束,锅炉进入正常燃烧。

在点火计时(5 s)期间,如点火失败,光敏电阻暗电阻较大。KA_2(12)线圈不通电,KA_3(13)线圈一直通电,待温度继电器通电 5 s 后将其触头 KT_2(4)断开,油泵 - 风机接触器 KM_2(2)线圈通电,油泵 - 风机电动机停转,待故障查明并排除后,温度继电器手动复位后才能再次自动启动。

在图 5 - 32 中,水位、气压超压炉膛熄火等安全保护环节,在图中已有标明和文字说明,所以不再详述。为了便于理解系统燃烧的全过程,故做简易程序框图如图 5 - 33 所示,以加深理解其控制过程。

3. 辅助锅炉燃烧控制中的其他元件

(1)火焰感受器

火焰感受器用来监视炉膛内有无火焰,当锅炉点火失败或在持续燃烧期间熄火时,为了避免在向炉内喷油时引起事故,要求立即关闭燃油电磁阀停止供油,并发出声光报警,因此,自动化锅炉都装有火焰感受器来监视炉内的火焰。辅助锅炉上常用的火焰感受器是由光敏电阻、光电池和紫外线灯管等组成的。

近年来光电池的应用越来越多。光电池是一种半导体材料,光照射后两电极间产生电压。采用光电池元件,点火接受光照后可以产生一个微小的电压,经晶体管放大后使继电器通电动作。

光电池光谱敏感范围仅限于可见光,另一种火焰感受器用光敏电阻做成,其原理图如图 5 - 34 所示,RL 为继电器。这对监视炉膛内火焰是非常合适的。

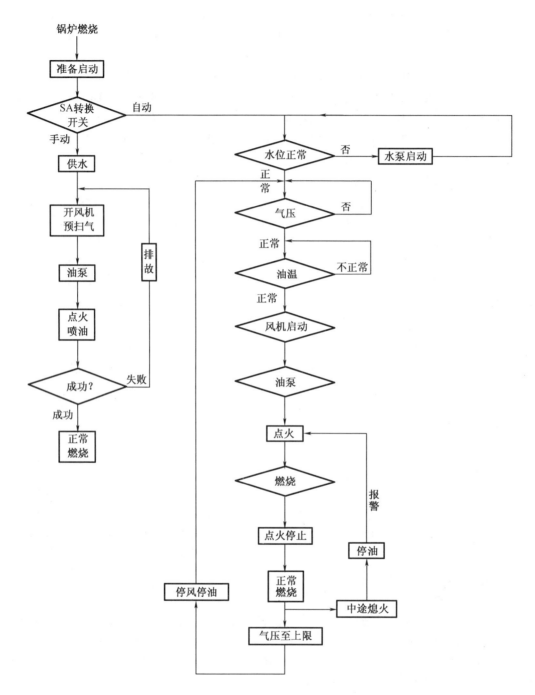

图 5-33 锅炉燃烧控制程序框图

（2）压力比例调节器

在以上控制中没有考虑油量与风量的控制比例关系，但在实际中常采用特定的装置来实现，图5－35为压力比例调节器原理图。图5－35（a）是指当锅炉蒸汽压力偏离额定控制气压时，通过波纹管3使平衡杆1发生偏转，带动划针2摆动，改变划针在发送电位器4上的接触头位置，从而把蒸汽压力信号按比例转变成电信号输出。电动比例操作器是一个微型伺服机构，它的动力是一个

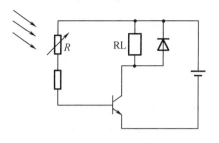

图5－34　火焰检测器原理图

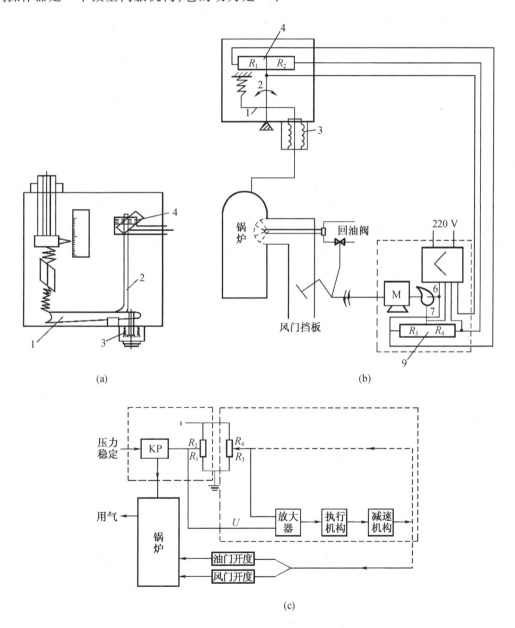

图5－35　压力比例调节器原理图

可逆电动机 M,如图 5 – 35(b)、(c)所示,其转动和停止由压力比例调节器控制。在可逆电动机带动的输出轴上装有凸轮 6,当输出轴转动时,凸轮顶动曲臂 7,使指针 8 在反馈电位器上滑动以达到电动追随目的。压力比例调节器的发调电位器 4 和电动比例操作器的反馈电位器 9 组成一个电桥电路,如图 5 – 35(c)所示。电动比例操作器控制油门开度(回油阀)及风门开度。

当锅炉蒸汽压力稳定时,两电位器的滑动触头位置对称,电桥处于平衡状态,即 R_1,R_4 = R_2,R_3,两滑动触头间电位差 $V = 0$,无信号输出,可逆电动机 M 不动,由其控制的回油阀和风门挡板处在某一位置上。

典型任务 6　船舶油污水处理的电气控制调试

5.6.1　船舶油污水

机舱舱底水在船舶正常营运过程中,机舱内的燃油系统、滑油以及机器设备总要有一定的漏泄。漏出的油汇集流入机舱污水井内与积存在这里的水混合形成油性机舱底污水,简称舱底水。舱底水含油量变化范围很大,受许多因素的影响,即使同一条船,在不同时期、不同航运状态,其含油量也不一样。据统计,舱底水含油浓度在 2 000 ~ 5 000 mg/L 之间。

舱底水的产生量与船舶吨位、动力装置类型、技术状态、运行管理水平等因素有关,确切数量各船差别很大,平均舱底水每天产生量是船舶总吨的 0.02% ~ 0.05%。不设专用压载舱的油船,为保证船舶安全航行,在正常天气航行时,货油舱加载的压载水量为载重的24% ~ 40%,恶劣天气可达 80%,直至满载。

舱底水中的油是船上所用各种燃油的混合物,其成分极为复杂。

5.6.2　船舶油污水分离方法

不改变油的化学性质,将水中的油分离出来的方法包括重力分离法、离心分离法、过滤法、吸附法、气浮法等,此外用凝集法、电解法等化学方法也可将水中油分离出来。乳化油可用活性污泥法分离。在此主要叙述上面几种方法。

1. 重力分离法

重力分离法是利用油和水的重度差,使水中油滴克服水流阻力上浮与水分离。用重力分离法能否在较短时间内将油水分离,取决于油粒上浮速度,而影响上浮速度的主要因素是油粒径及油、水密度,另外由于水的黏滞系数、油和水的密度都随温度的变化而发生较大变化,因此,温度对上浮速度也有直接影响。

2. 离心分离法

离心分离法是利用高速旋转运动产生的离心力,使密度不同的油水分离。

离心分离法可采用水旋分离法,即分离器本体固定不动,而使污水沿切线方向流入分离体内,造成旋转运动;也可采用器旋分离法,即分离器本体高速旋转,并带动体内污水一起高速旋转。

3. 过滤分离法与聚结分离法

过滤分离法是让油污水通过多孔性介质滤料层,而油污水中的油粒及其他悬浮物被截留,去除油分的水通过滤层排出。

过滤法所用滤料主要有石英砂、卵石、煤屑、焦炭等粒状介质,由棉、麻、毛毡、各种人造纤维和金属丝织成的滤布和特制的陶瓷塑料制品。这些滤料共同的特点是化学稳定性好,不易溶于水,一般不与污染物质起化学反应,不会产生有害或有毒的新污染物。

任何一种滤料对污染物的过滤能力都是有一定限度的,随着使用时间的增长,过滤效果会越来越差,当滤料达到饱和以后,必须进行反冲洗,使滤料重新具有良好的过滤性能。

4. 气浮分离法

气浮分离法是向污水中不断充入空气,在水中产生大量气泡,使微小油粒在分子力作用下黏附于气泡周围,形成具有浮力的浮体,而这些黏附在气泡上的小油粒克服水力阻力迅速上浮到水表面与水分离。

加压气浮的特点是产生的气泡小、气浮效率高、运行管理简单,但其耗电量大,需要水泵等机械设备,因此这种方法主要用于炼油厂处理含油活水和港口压载水及洗舱水处理场。

我国规定了船用油水分离器设计制造生产额定处理量系列标准,当船舶选配油水分离器时,其额定处理量必须是标准系列中某一处理量,否则就选购不到油水分离器。船用舱底油污水分离装置处理量,一般根据吨位大小估算舱底水产生量,所选用的油水分离器额定处理量应大于其舱底水产生量,一般应有 10% 的余量,此外,经处理后的排出水中含油量应符合排放标准。

为了满足国际海协《1973 年国际防止船舶造成污染公约及其 1978 年议定书》规定的船舶在距最近陆地 12 n mile 以内,从船舶机舱舱底污水分离装置排出水的含油量应不大于 15 mg/L。

5.6.3　重力分离式油水分离器

现在船舶安装的油水分离器绝大多数都是组合式的,即由粗分离部分和细分离部分组成。粗分离部分都是用于第一级,主要采用重力分离法处理容易上浮的分散油滴,其中机械重力分离法结构形式有多层斜板式、多层隔板式、细管式及多层波纹板式等。

细分离部分用于第二级和第三级,多采用过滤法、气浮法、聚结法和吸附法等,用以除去油污水中微细分散油滴和乳化油滴。

1. 重力分离式油水分离器

多层锥形板式油水分离器结构如图 5-36 所示。圆形分离筒内部分为上下两部分,上部为粗分离室,下部为细分离室。污水泵排出的舱底污水由分离器适应入口以切向方向流入粗分离室,在筒内形成缓慢流动,使污水流动路径增长,而且由于旋转离心力作用,不仅增加了油粒相互碰撞机会,而且使比较轻的油液向分离室中部汇集,促使粗大油粒上浮到顶部集油室。没有分离的油水继续向下流动,流入由许多锥形板组成的细分离室,油水在细分离室内沿锥形板外周经各锥形板之间的空间流向中央集水管。由于油水以极慢的速度流经各锥形的狭窄通道,使微细油粒相互碰撞并上浮聚集在锥形板下表面上,并逐渐凝集大油粒,当其浮力大于本身重力和积滞阻力时,油滴则沿着锥形板下面向外流动,最终将脱离锥形板外边缘并上浮,经隔板上的油上升管流入顶部集油室。分离出来的水流入中央集水管,从底部排出口排出;分离出来的油聚集在顶部集油室内,当油位达到一定高度时,排油管上的电磁阀自动打开将油排入废油柜,油排出后电磁阀又自动关闭。电磁阀的动作由油位检测器控制,即当检测器两个电极头都浸在油内时电磁阀打开,而当两个电极都浸在水中时电磁阀关闭。

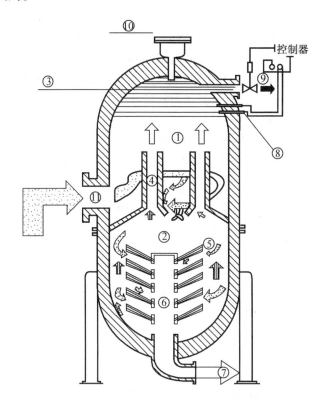

图 5 - 36　多层锥形板式油水分离器结构

1—粗分离室;2—细分离室;3—集油室;4—油上升管;5—锥形板;6—中央集水管;
7—排水管;8—油位检测电极;9—排油电磁阀;10—放气阀;11—进水口

分离器顶部装有自动放气阀,可放掉随舱底水带入分离器并集积在顶部的多余空气,以防液位过分降低,使分离器下部污损影响分离效果。

(1)CYF - B 型油水分离器

CYF - B 型油水分离器由两级组成,第一级为重力式分离,第二级为集结分离,其工作原理图如图 5 - 37 所示。

舱底水由专用污水泵经由污水进口和喷嘴从左集油室中部送入油水分离器内,由于喷嘴的扩散作用,进入油水分离器内的污水迅速分散开,大颗粒油滴上浮到左集油室顶部,含有小颗粒的污水向下流动,进入由波纹板组和平板组构成的重力分离器内。为了增大湿周减小上浮距离,波纹板和平板要交替安装,使流道形成许多连续分隔的小水腔,如图 5 - 38 所示。

几十层波纹板分成 3 组,如图 5 - 39 所示,每组之间用隔板隔开,形成三折回路流道,其内部结构如图 5 - 40 所示。由于湿周大,上浮距离小,流路长,水流平均流速低,含油污水以层流状态在波纹板流道内缓慢流动。粒径较小的油滴上浮聚积在波纹管表面上形成油膜,由于水流冲击,油膜从波板上剥离,聚结成大油滴随水流一起流出波纹板组,大油滴上浮到左集油室顶部,含有更小颗粒油滴的污水通过细滤器,滤除水中机械杂质及部分石蜡胶体,然后再顺次流经第一、二级集结元件,细粒油滴集结成大油滴,流出集结元件后与水分离上浮到顶部,符合排放标准的水由排出口排出。

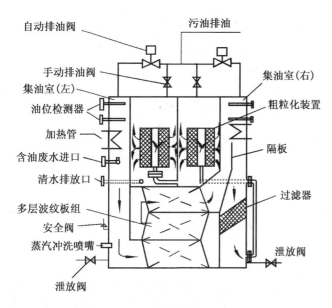

图 5-37 CYF-B 型油水分离器工作原理图

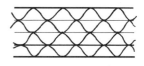

图 5-38 流道截面几何形状

第一、二级集结元件都是圆筒式,外形尺寸一样,填充的粗粒化材料是涤纶纤维或弹性尼龙纤维。第二级填充的粗粒化材料数量比第一级多,因此第二级比第一级更紧密,孔隙更小,能分离更细微的油粒,但也更容易堵塞,安装时应注意两者不能互换。

聚集在左右集油室内的污油,根据油粒检测器测得的油粒信号控制排油阀打开或关闭,间歇地进行排油。集结元件室顶部的集油量很小,采用人工定期排放。在集油室还装设有蒸汽或电加热器,以保证高黏度污油在环境温度较低情况下也能顺利地排出。

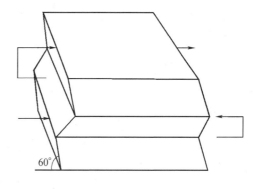

图 5-39 波纹板

(2)GSF 型油水分离器

由德国 RWO 公司生产的 GSF 型油水分离器,有 0.25 m³/h、0.5 m³/h、1 m³/h、2.5 m³/h、5 m³/h、7.5 m³/h 和 10 m³/h 处理量的系列产品,它由一个重力分离筒和一个聚结分离筒组成,如图 5-41 所示。

重力分离筒由不同直径同轴安装的 4 个圆筒组成,在直径最小的圆筒壁上装有加热盘管,加热工质可用蒸汽、热水或热油,也可装电加热器。舱底油污水由专用污水泵输送到中央分离筒内,油污水在从中央经各分离筒之间

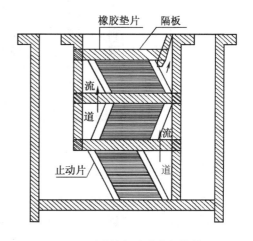

图 5-40 波纹板流道内部结构

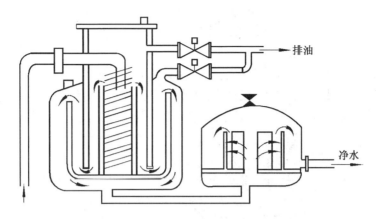

图 5 - 41　GSF 型油水分离器的组成

的环形流道流动过程中,由于油和水的密度不同,即使污水向下流动,油滴也能上浮。分离过程中不断加热,很小的油滴也能从水中分离出来。分离出来的油上浮集中到分离器上部两个独立的小室内。当油层达到一定厚度时,由电极传感器检测发出控制信号,使排油阀打开,将油排到污油柜。从第一级排出的油污水,含油量约为 100 mg/L,送入第二级通过粗粒化元件聚结分离。污水从第二级排出时含油量小于15 mg/L。

这种型式油水分离器的特点是结构简单、内部没有活动元件、能长期运转、维修工作量少。

(3)CYSC 型油水分离器

该种类型的油水分离器主要用于沿海、内河小型机动船舶,最小处理量为 0.1 m³/h,其工作原理如图 5 - 42 所示。

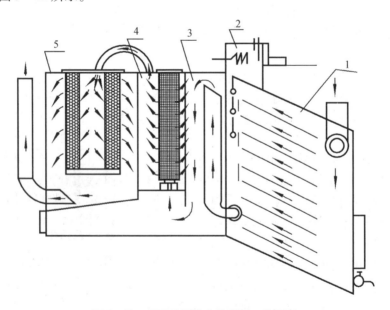

图 5 - 42　CYSC 型油水分离器工作原理

1—粗分离腔;2—集油室;3—聚油脱水腔;4—精滤腔;5—粗粒化腔

污水由专用泵送入分离器中,污水即流过波纹板组。由于波纹板的湿周大,污水流速又低,含油污水处于层流状态,缓慢流动,并在狭小的流道内上浮和互相碰撞,聚合成较大的油滴,上浮至粗分离腔上的集油室内。含有更小颗粒油滴的污水经过聚油脱水的精滤,进一步去除水中机械杂质和部分石蜡状胶凝体后,进入粗粒化腔。由于粗粒化滤芯的特殊聚结功能,残留的细微油滴在其中聚结成较大的油滴后与水分离,上浮至腔室顶部。符合排放标准的清水则由排放口排出。

聚结于粗分离腔集油室的污油,通过油位检测器,经过自动排油阀,可实现污油的自动排放。聚油脱水腔内也设置了油位检测器,确保了装置的安全使用,但污油量很少,只需在控制箱报警后进行人工排油。精滤腔和粗粒化腔的污油量更少,也采用人工定期排油方式。

采用粗滤、机械重力分离、精滤和粗粒化精分离组合方式可适应分离各种船舶的含油舱底水。

2. 分离器自动控制系统工作原理

油水分离器的自动控制主要包括专用舱底水泵的安全保护自动启停,加热温度自动控制,污油排放自动控制,舷外排出阀开、闭自动控制。现以典型油水分离器为实例介绍其自动控制系统工作原理。

(1)油水分离器舱底水泵自动启动

常用的某一类型油水分离器专用水泵是电动单螺杆泵,这种泵空转时间过长会使橡胶衬套接触面烧坏,因此当空吸(舱底水抽干)或进口滤器堵塞时泵应停止运转,其控制电路如图 5 – 43 所示。检测元件是电接触或压力真空表 YX,指示真空度的动指针 1 点随吸入管内真空度的变化而转动,当污水井液位过低、吸口露出水面即出现空吸现象时,吸入管中真空度开始下降,动指针向低真空度方向转动,当与低真空度定指针 3 点接触时(调定值在 30 ~ 50 mmHg* 之间),继电器 D_0 通电,常闭触点 D_0 断开,继电器 C_0 断电,常开触点 C_0 断开,电机停止运转。

吸入滤器堵塞时,吸入管中真空度将增加,动指针向高真空度方向转动,当与高真空度定指针 2 点接触时(调定值在 350 ~ 400 mmHg 之间),同样使继电器 D_0 通电,则电机停止运转。人工操作时,泵的启动按钮为 AQ,停止按钮为 TQ,K_2 为手动合闸开关。

(2)自动排油控制

油水分离器自动排油控制方式为电极式控制方式,其液位检测器工作是利用油、水导电率不同原理测出油层厚度,发出信号,控制排油阀。目前这种形式使用最多,排油阀有电磁阀和气动阀两种。

图 5 – 44 所示是一典型自动排油控制装置系统图,在分离筒顶部集油室内装两只液位检测电极,上部电极称上限液位检测器,下部电极称下极限液位检测器。

当上、下电极全部浸在油中,如图 5 – 45 中状态(a)所示时,由于油的导电率很小,两只电极均与壳体断路,则晶体管 T_1 截止,T_2 饱和导通,继电器 J 通电,常闭触头 J_3 断开,常开触点 J_2 闭合,电磁阀 E_1 通电打开,气动隔膜阀在压缩空气推动下开启,集油室内的油排出。

随着油不断地被排出,油层减薄,水位升高,下电极首先浸入水中,而当上电极仍浸在油中时,如图 5 – 45 状态(b)所示,因为水的导电性,这时虽然下电极与壳体处于短路状态,但因常闭触点 J_3 已断开,下电极与晶体管控制电路脱开,只有上电极与控制电路相接,但上

＊　1 mmHg = 0. 133 kPa

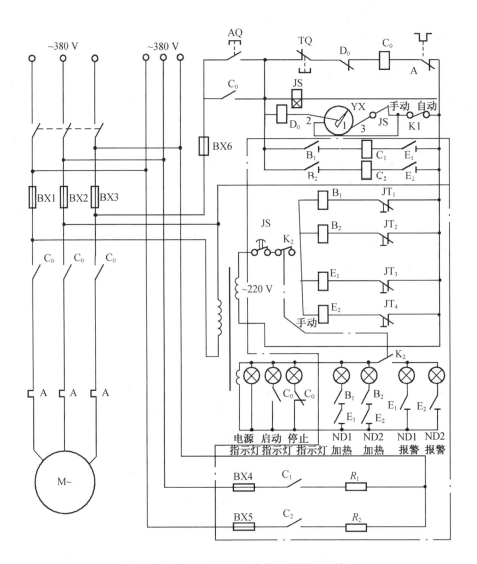

图 5 – 43　电加热温度及电气启停控制系统

电极仍在油中,因此这时 T_1 仍截止,T_2 仍然处于导通状态,排油阀继续打开进行排油。当水位上升到如图 5 –45(c)所示的状态时,两电极全部浸在水中,上电极与壳体短路,则晶体管 T_1 导通,T_2 截止,继电器 J 断电,触头 J_2 断开,电磁阀 E_1 也断电,气动排油阀关闭,停止排油,J_1 断开,J_3 闭合。

油水分离器连续运转,不断将水中油分离出来,集油室内油层逐渐增厚,但仅有上电极浸在油中而下电极仍浸在水中,如图 5 –45(b)所示的状态,这时因常闭触点 J_3 已闭合,所以由于下电极与接地点短路,晶体管 T_1 导通,T_2 截止,继电器 J 不通电,电磁阀 E_1 不动作,气动排油阀不能开启,不排油。只有下电极也浸在油中,即油层厚度达到如图 5 –45 状态(a)所示的位置时,又重复进行上述过程。

由上述工作过程可知,开始排油时间由下电极控制,停止排油时间由上电极控制。在油位油变化速度相等的条件下,排油时间和间隙时间由两电极之间安装位置决定。一般自动排油系统有两套,分别安置在左右位置。

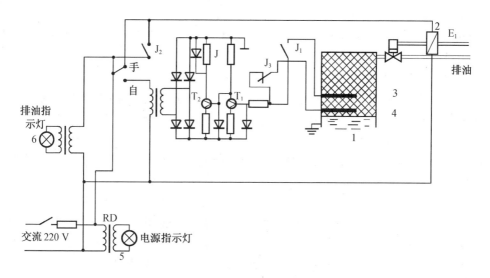

图5－44　自动排油控制装置系统图

1—集油室;2—电磁阀 E_1;3,4—上下液位检测电极;5—电源指示;6—排油指示

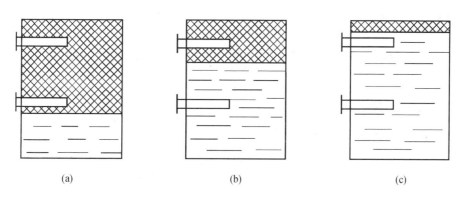

图5－45　自动排油工作状态

(3)加热温度自动控制

为了保证高黏度污油顺利排出和提高分离效果,一般在集油室装加热器,但加热温度不能过高,通常控制在 35～45 ℃。温度继电器的温包装在集油室中,温度升高到45 ℃时,温度继电器触点 JT_1、JT_2 断开,中间继电器 B_1、B_2 断电,触点 B_1、B_2 断开,使 C_1、C_2 接触器也断电,使加热器 R_1、R_2 也断电,停止加热。温度下降低于 35 ℃时,温度继电器触点又闭合,中间继电器 B_1、B_2 又通电,触点 B_1、B_2 闭合,加热器 R_1、R_2 又通电开始加热。如果温度升高到45 ℃继电器仍不动作,继续加热温度达到 55 ℃时,保护继电器 JT_3、JT_4 动作,通过中间继电器 E_1、E_2 使加热器断电。停止加热并报警、指示,图 5－44 中时间继电器 JS 作用视电机启动否,加热到一定时间否,可以自动停止。

3.影响油水分离器分离工作性能的因素

油水分离器工作性能在实际使用中受到许多因素影响,同样一台油水分离器在不同情况下使用,其工作性能相差很大。有时油水分离效果根本达不到要求,主要影响因素有下列几个方面。

（1）泵的影响

污水中油的微粒化、乳化程度越高，油水分离器性能越差，因此，污水通过泵时应尽量不产生乳化、搅拌或节流。

（2）工作压力影响

油水分离器工作压力对分离性能有显著影响，工作压力提高，泵排出压力就要相应提高，则污水通过泵输送时，严重乳化，分离性能下降，排水含油量显著上升。

（3）油种类的影响

根据公式得知，油的密度越轻应越容易分离，但也容易乳化，而且乳化对分离性能影响更大，因此，密度轻的油反而更难分离。

（4）温度的影响

若含油污水温度升高与水的密度差增加，水的黏度降低，则油粒上升速度快，但温度升高通过泵时乳化严重，反而使分离性能下降，因此，综合起来其影响不大。如果是低温通过泵，高温下分离可取得良好的分离效果，特别是陆用大型静止分离池，提高温度是提高分离效果的有效方法，对于一般船用油水分离器温度的影响与其他因素相比是比较小的。

（5）污水中含油量的影响

污水中油分浓度高，分离性能当然恶化，油分浓度增加，乳化程度加重。此外，还有其他影响在此不再详述。

典型任务7　船舶起重机的电气控制操作及排故

5.7.1　技术性能

1. 输入电源：三相四线，380 V ±10%，50 Hz。
2. 工作环境：温度 –10 ℃ ~ +40 ℃，相对湿度 <85%（25 ℃），海拔 <4 000 m。
3. 装置容量：<1 kVA。

5.7.2　基本配备

1. 铝质面板

面板上印有交流三速电动起货机控制电路图，同时安装有继电器、电机动作指示灯以及电路测试孔。

2. 铁质面板

面板上安装有熔断器、接触器、热继电器、变压器等元件，这些元件直接安装在面板表面，能够直接看到它们的动作状态。

3. 三相异步电动机

380 V 鼠笼式三相异步电动机两台，一台模拟起货机，另一台模拟风机。

4. 故障开关箱

设有若干开关，用于故障设置。

5.7.3　实训项目

1. 熟悉常用低压电器的机构、原理
2. 通过测量、观察现象，找出线路上的故障点

3.对线路故障排除
4.设置故障点,作为考核设备
（1）主回路(图5-46)

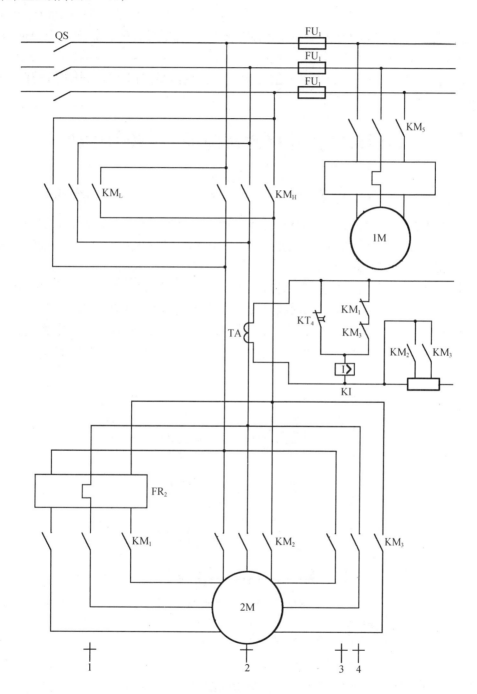

图5-46　起货机线路主回路

（2）控制回路（图 5 - 47）

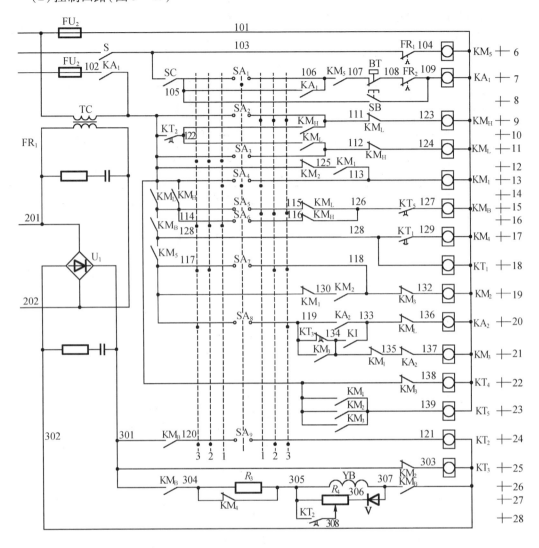

图 5 - 47　起货机线路控制回路

典型任务 8　船舶锚机的电气控制操作及排故

5.8.1　装置的基本配备

1. 电源控制面板（铝质面板）

（1）交流电源（带有漏电保护措施）

通过市电提供三相四线交流电源（AC380 V）。

（2）人身安全保护体系

电压型漏电保护器：对线路出现的漏电现象进行保护，使控制屏内的接触器跳闸，切断电源。

电流型漏电保护装置:控制屏若有漏电现象,漏电流超过一定值,即切断电源。

2.锚机控制线路铝面板

面板上安装有锚机各个继电器、接触器的动作指示灯,指示灯可以指示继电器、接触器的相应动作。

面板上印有锚机控制线路的原理图,可以很直观地看出锚机控制回路的工作原理。

3.锚机控制线路铁面板

面板上装有断路器、熔断器、接触器、热继电器、变压器等元器件,这些元器件直接安装在面板表面,可以很直观的看它们的动作情况。

4.船用主令控制器

主令控制器安装在可移动的小车上,主令控制器如图5-48所示,主令扳手用于控制电机的转向和转速;主令开关SC为主令控制器的电源开关;应急操作按钮SB用于当热继电器动作后的紧急启动。

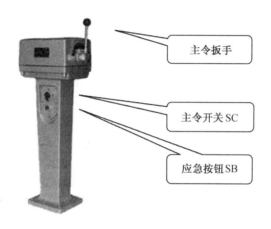

图5-48 船用主令控制器

5.电动机

起货机电动机采用一个380 V级数为12/6/4的三速鼠笼式异步电动机。

6.故障开关箱

设有16个开关,其中K_1到K_{14}用于故障设置;K_{15}模拟热继电器动作,K_{16}模拟过电流继电器动作。

5.8.2 原理图

1.主回路

如图5-49所示锚机线路主回路。

2.控制回路(图5-50)

5.8.3 锚机电路工作分析

1.锚机运行工作特点

运行工况:正常起锚工况;应急起锚工况;抛锚工况。

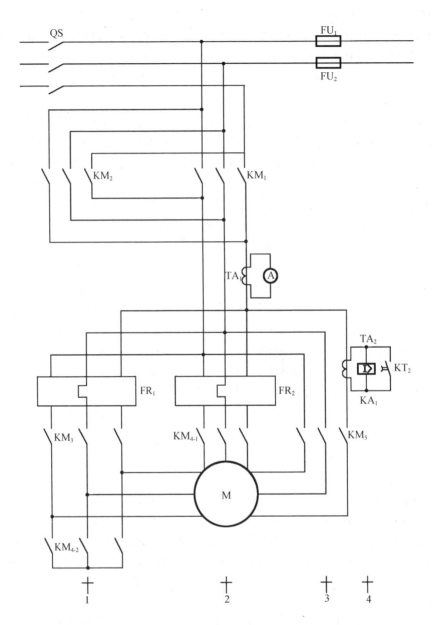

图 5 – 49　锚机线路主回路

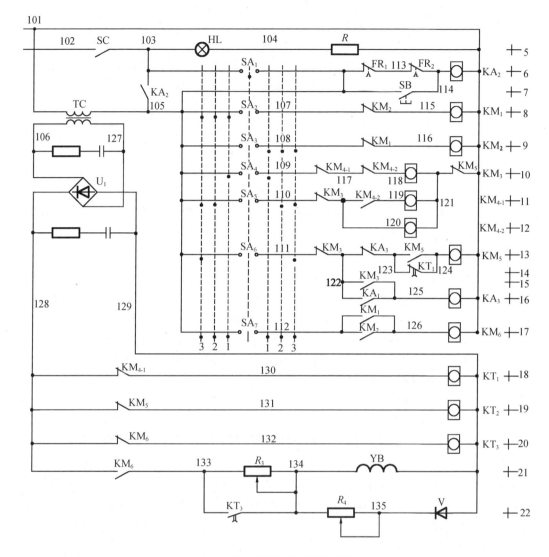

图 5-50 锚机线路控制回路

（1）正常起锚工况

正常起锚工况有以下 5 个阶段：

①收躺锚链：电动机轴上负载转矩不变，且较小。

②拉紧锚链：轴上负载转矩逐渐增大。

③拔锚出土：负载转矩达到最大，"出土"后突然减小。

④提锚出水：负载转矩逐渐减小。

⑤拉锚入孔：负载转矩再次有所增大，但不多。

注意：拔锚不出土时电动机将堵转，此时要求电动机能够承受堵转转矩。

为了减小对电动机的冲击，通常可以通过主机推进器推动船舶前进，依靠船舶前进的动力拔锚出土。

（2）应急起锚工况

海事局教材定义：深水抛锚时，由于水深，锚抛不到底，需将锚拉起，找合适地方再抛。此时锚链最长（约 200 米左右），起锚负载转矩最大。

一般定义：在电动机热继电器动作后，由于情况紧急通过应急起锚按钮短接热继电器进行的起锚。

（3）抛锚工况

船舶抛锚时有两种情况：

水深不大时，直接松开制动器，锚自由下落，靠锚和锚链自重进行抛锚；

海水较深时，则锚自由下落的速度较大，为了较好地控制下落速度，也为了防止起锚困难和损坏设备，应该采取电气制动的方法，使锚下落的速度恒定。

电气制动的方法有：①能耗制动；②再生（回馈、发电）制动。通常采用再生制动（节能）。

2. 对电力拖动及控制的要求

对电机要求：

（1）容量：单锚破土起双锚；

（2）启动：可最大负荷启动，工作时间 < 30 min，30 min 内启动 25 次；

（3）特性：软或下坠的机械特性；

（4）过载：堵转 1 min；

（5）速度：单锚 ≮ 12 m/min，双锚 ≮ 8 m/min，入孔 3 ~ 4 m/min；

（6）电机：防水式，短时工作制电动机。

采用继电接触器控制的锚机一般采用变极调速，因此电动机一般要求具有两套绕组（或三套绕组）。双速绕组 $n = (1 - s)60f_1/P$。一般使用的交流电动锚机为采用 12/6/4 三速鼠笼式异步电动机拖动。有两套独立绕组，高速 4 极（Y），单独一套绕组，中速 6 极（YY），低速 12 极（Δ），中低速合用一套绕组。YY—Δ 变极调速属于恒功率调速，这样可以保证低速时有大的转矩（即满足 2 倍额定转矩启动）。中速 6 极（YY）为额定极。

对控制线路要求：

（1）启动：逐级自动启动；

（2）过载：保证堵转 1 分钟不保护动作；

（3）抛锚：匀速深水抛锚（再生或能耗制动）；

（4）保护：短路、失压、过载、断相保护；

（5）制动：电气和机械配合制动。

3. 控制元件说明

时间继电器：都是断电延时继电器。KT_1：2 ~ 3 挡延时；KT_2：延时过流保护；KT_3：刹车经济电阻延时接入。

中间继电器：KA_2 为零压（位）继电器，失、欠压保护；KA_3 为中间继电器，与 KT_2 配合，3 挡（高速）换挡过载检测。

电流继电器：KA_1 为负载继电器，重载不上高速。

接触器：KM_1，正转，起锚用；KM_2，反转，抛锚用；KM_3，"1 速"，低速用；$KM_4 - 1$、$KM_4 - 2$，"2 速"，中速用（YY 需要两个）；KM_5，"3 速"，高速用；KM_6，接通刹车电磁铁用。

主令触点、开关：SC 为电源开关；$SA_{1~7}$ 为各挡控制。

4.锚机控制线路的电气控制分析

（1）学会复杂电路分析方法

经典读图法：从主令元件入手，逐路分析。经典读图法要求清楚图中元件的作用，对工作过程有一定的了解，且需要经验积累。

逻辑代数读图法：采用逻辑函数表示线圈的通电逻辑，先列出各个线圈的逻辑函数并化简，然后根据逻辑函数读图。

能够结合对船舶锚机电力拖动及控制线路要求和锚机工作过程、特点，分析"交流三速锚机控制线路图"。

采用经典读图法分析需要注意的主要工作过程：①打开刹车串电阻；②三速运行及换挡；③制动刹车放电抱闸。

（2）锚机操作分析

起锚操作的分析包含四个部分：接通电源；起锚 1 挡；起锚 2 或 3 挡；重载自动回到起锚中速挡（2 挡）。

①接通电源：只有手柄在零位，KA_2 才能得电。

②起锚 1 挡：SA（2、4、7）等三路接通。

③起锚 2 或 3 挡：SA（2、5、6、7）等四路接通。可实现自动延时加速。

④重载自动回到起锚中速挡（2 挡）。

注意：从起锚 3 挡回 2 挡后，若负载减小，不会自动再升到 3 挡。应将手柄扳回 2 挡后再推向 3 挡才行。

手柄在零位时，将电源开关 SA 闭合，合上空气断路器 QS，由于手柄在零挡时主令控制器的触点只有 SA_1 一路接通，此时 KA_2 线圈通电，自锁触头闭合，控制线路有电。为其他操作做准备。

手柄扳到起锚 1 挡：主令触点 SA_2、SA_4 和 SA_7 三路接通，SA_2 使起锚（正转）接触器 KM_1 通电，KM_1 触点使 KM_6、刹车 YB 打开，KT_3 断电延时，延时到后接入经济电阻。SA_4 使低速接触器 KM_3 通电，低速起锚。

手柄扳到起锚 2 挡：主令触点 SA_2、SA_7 不变，SA_4 断开，SA_5 闭合。SA_4 使 KM_3 断电；而 SA_5 使 KM_{4-2} 和 KM_{4-1} 先后通电，锚机电动机进入中速起锚。

KM_{4-1} 通电后，KT_1 断电延时，延时时间到，其常闭触点闭合，为进入第 3 挡做准备。注意：因为中、高速是不同的两套绕组，切换时允许同时通电，但从中速到高速的切换，必须等电机转速确实达到中速后才行。

手柄扳到起锚 3 挡：增加 SA_6 闭合，因为 KT_1 延时已到，KM_5 有电，其常闭触点使 KM_{4-1} 和 KM_{4-2} 都断电，锚机由中速切换到高速运行。同时 KT_2 断电延时，准备使过流继电器 KA_1 投入负载电流检测。

KT_2 延时使过流继电器 KA_1 投入，是为了避开换挡时出现的大电流。当 KT_2 常闭触点断开后，若无过载，则 KA_1 不动作，锚机在高速稳定运行。否则，将使 KA_3 动作，退回中速运行。

当 KA_3 动作且自锁后，其常闭触点使 KM_5 断电，KM_{4-2}、KM_{4-1} 自行通电，锚机退回中速运行。此时，KA_1 无电流，但因为 KA_3 已自锁，要再进入高速，须将手柄扳到中速后，再扳到高速才行。

操作时若快速将手柄扳到第 3 挡，则控制线路将直接从中速开始，使电动机启动，经过

KT_1 延时后,再自动进入高速运行。

抛锚过程与起锚相似,但负载继电器 KA_1 不会动作。此时电动机处于再生制动状态。

手柄扳到零位,所有接触器失电,YB 也失电,但不马上制动,要等其线圈放电后才进行机械制动。调整放电回路的电阻 R_4,可调整放电时间,从而调整刹车制动的时间。

5.8.4　锚机电气控制线路故障排除实习指导

1. 实习内容

(1)用通电试验方法发现故障现象,进行故障分析,并在电气原理图中用虚线标出最小故障范围。

(2)按图排除三相锚机控制电路中,人为设置的两个电气自然故障点。

2. 电气故障的设置原则

(1)人为设置的故障点,是锚机在使用过程中,由于受到振动、受潮、高温、异物侵入、电动机负载及线路长期过载运行、启动频繁、安装质量低劣和调整不当等原因造成的"自然"故障。

(2)切忌设置改动线路、换线、更换电器元件等由于人为原因造成的非"自然"的故障点。

(3)故障点的设置,应做到隐蔽且设置方便,除简单控制线路外,两处故障一般不宜设置在单独支路或单一回路中。

(4)对于设置一个以上故障点的线路,其故障现象应尽可能不要相互掩盖。学生在排故时,若检查思路尚清楚,但排故到定额时间的 2/3 还不能查出一个故障点时,可做适当的提示。

(5)应尽量不设置容易造成人身或设备事故的故障点,如有必要时,教师必须在现场密切注意学生的排故动态,随时做好采取应急措施的准备。

(6)设置的故障点,必须与学生应该具有的排故能力相适应。

3. 实习步骤

(1)先熟悉原理,再进行正确的通电试操作。

(2)熟悉电器元件的安装位置,明确各电器元件作用。

(3)教师示范故障分析排故过程(故障可人为设置)。

(4)教师设置让学生知道的故障点,指导学生如何从故障现象着手进行分析,逐步引导到采用正确的检查步骤和排故方法。

(5)教师设置人为的自然故障点,由学生排故。

4. 实习要求

(1)学生应根据故障现象,先在原理图中正确标出最小故障范围的线段,然后采用正确的检查和排故方法并在定额时间内排除故障。

(2)排除故障时,必须修复故障点,不得采用更换电器元件、借用触点及改动线路的方法,否则,作为不能排除故障点扣分。

(3)排故时,严禁扩大故障范围或产生新的故障,并不得损坏电器元件。

5. 操作注意事项

(1)设备应在指导教师指导下操作,安全第一。设备通电后,严禁在电器侧随意扳动电器件。进行排故训练,尽量采用不带电测试。若带电测试,则必须有指导教师在现场监护。

（2）必须安装好各电机、试验台接地线，设备下方垫好绝缘橡胶垫，厚度不小于 8 mm，操作前要仔细查看各接线端，有无松动或脱落，以免通电后发生意外或损坏电器。

（3）在操作中若发出不正常声响，应立即断电，查明故障原因待修。故障噪声主要来自电机缺相运行，接触器、继电器吸合不正常等。

（4）发现熔芯熔断，应找出故障后，方可更换同规格熔芯。

（5）在维修设置故障中不要随便互换线端处号码管。

（6）操作时用力不要过大，速度不宜过快；操作频率不宜过于频繁。

（7）实习结束后，应拔出电源插头，将各开关置分断位。

（8）做好实习记录。

【小结】

本部分主要讲述了船舶动力设备的电气控制电路，包括了船舶起货机、船舶锚机、船舶舵机的电气控制、船舶制冷系统、船舶辅助锅炉、船舶油污水处理等主要设备的电气工作原理，应结合实践操作熟练掌握。

【思考与习题】

1. 船舶锚机的电力拖动有哪些基本要求？

2. 船舶锚机的控制线路有哪些要求？

3. 试解析电动锚机控制线路中零压继电器 LYJ 的作用。

4. 船舶舵机有哪些基本要求？

5. 什么叫随动操舵？试述它的工作原理。

6. 试画出自动操舵原理方块图。

7. 试述制冷温度控制系统的控制过程。

8. 冷库温度控制及自动融霜电路，试说明其工作原理。

9. 制冷压缩机不能启动、启动后很快停机或运转中故障停机的原因有哪些？

10. 辅助锅炉水位双位控制常用哪几种方法？

11. 自动辅助锅炉的控制系统中必须设置哪些基本保护环节？

12. 辅助锅炉点不着火有哪些电气原因？

13. 试简述辅助锅炉水位的自动控制。

14. 船舶油污水分离有哪些主要方法？

15. 自动排油污控制是如何实现的？

16. 影响油污水分离器分离性能的因素有哪些？

学习情境 6　船舶 PLC

【学习任务概况】

知识目标：了解 PLC 的特点及基本工作原理，掌握 FX 系列 PLC 的硬件组成及指令系统。

能力目标：能正确阅读和分析 PLC 梯形图；具有绘制简单 PLC 梯形图的能力。

【理论部分】

典型任务 1　PLC 的产生、发展及应用

6.1.1　PLC 的产生

1. 概念

PLC 是在继电器控制和计算机技术的基础上开发出来的，并逐渐发展成以微处理器为核心，集计算机技术、自动控制技术及通信技术于一体的一种新型工业控制装置。

2. 发展历程

传统的继电接触器控制系统(硬件布线)的优点：结构简单，因而长期广泛应用。缺点：采用固定的接线方式。一旦生产要求及生产过程发生变化，必须重新设计线路，重新接线安装。不利于产品的更新换代。灵活性、通用性差，体积大，速度慢等特点。

20 世纪 60 年代末期，美国汽车制造工业相当发达，要求不断更换汽车的型号。传统的继电接触器控制系统被淘汰。

1968 年，美国最大的汽车制造商 GM 公司公开招标，研制新的控制系统。提出以下要求：设计周期短，更改容易，接线简单，成本低。

1969 年，美国数字设备公司研制出世界上第一台 PLC，并在 GM 公司的汽车生产线上首次应用成功。

其后，日本、德国相继引入。

中国于 1974 年开始研制，1977 年成功。

3. 功能发展史(名字的由来)

早期：顺序控制，包括逻辑运算功能，称 PLC(Programmable Logic Controller)。

20 世纪 70 年代：微处理器用于 PLC。功能增强、数值运算、数据处理、闭环调节等，称 PC。

现在：模拟量控制、位置控制等。

6.1.2　PLC 的应用及发展趋势

1. 应用领域

目前,PLC 在国内外已广泛应用于钢铁、石油、化工、电力、建材、机械制造、汽车、轻纺、交通运输、环保及文化娱乐等各个行业,使用情况大致可归纳为如下几类。

(1) 开关量的逻辑控制

这是 PLC 最基本、最广泛的应用领域,它取代传统的继电器电路,实现逻辑控制、顺序控制,既可用于单台设备的控制,也可用于多机群控及自动化流水线。如注塑机、印刷机、订书机械、组合机床、磨床、包装生产线、电镀流水线等。

(2) 模拟量控制

在工业生产过程当中,有许多连续变化的量,如温度、压力、流量、液位和速度等都是模拟量。为了使可编程控制器处理模拟量,必须实现模拟量(Analog)和数字量(Digital)之间的 A/D 转换及 D/A 转换。PLC 厂家都生产配套的 A/D 和 D/A 转换模块,使可编程控制器用于模拟量控制。

(3) 运动控制

PLC 可以用于圆周运动或直线运动的控制。从控制机构配置来说,早期直接用于开关量 I/O 模块连接位置传感器和执行机构,现在一般使用专用的运动控制模块。如可驱动步进电机或伺服电机的单轴或多轴位置控制模块。世界上各主要 PLC 厂家的产品几乎都有运动控制功能,广泛用于各种机械、机床、机器人、电梯等场合。

(4) 过程控制

过程控制是指对温度、压力、流量等模拟量的闭环控制。作为工业控制计算机,PLC 能编制各种各样的控制算法程序,完成闭环控制。PID 调节是一般闭环控制系统中用得较多的调节方法。大中型 PLC 都有 PID 模块,目前许多小型 PLC 也具有此功能模块。PID 处理一般是运行专用的 PID 子程序。过程控制在冶金、化工、热处理、锅炉控制等场合有非常广泛的应用。

(5) 数据处理

现代 PLC 具有数学运算(含矩阵运算、函数运算、逻辑运算)、数据传送、数据转换、排序、查表、位操作等功能,可以完成数据的采集、分析及处理。这些数据可以与存储在存储器中的参考值比较,完成一定的控制操作,也可以利用通信功能传送到别的智能装置,或将它们打印制表。数据处理一般用于大型控制系统,如无人控制的柔性制造系统,也可用于过程控制系统,如造纸、冶金、食品工业中的一些大型控制系统。

(6) 通信及联网

PLC 通信含 PLC 间的通信及 PLC 与其他智能设备间的通信。随着计算机控制的发展,工厂自动化网络发展得很快,各 PLC 厂商都十分重视 PLC 的通信功能,纷纷推出各自的网络系统。新近生产的 PLC 都具有通信接口,通信非常方便。

1988 年全世界 PLC 的总销售量达 370 亿美元,年产量 150 万台。PLC 已成为工业控制的标准设备。它的应用几乎覆盖了所有的工业、企业。

近 10 年,我国的 PLC 研制、生产、发展很快,上海宝钢第一期工程采用了 250 台。第二期采用了 108 台,获得了令人瞩目的经济效益和社会效益。

PLC 应用越来越广泛,工业自动化程序提高到一个新水平。

2. 发展

（1）系统构成规模向大、小两个方向发展。大是指大容量、高速度、多功能、高性能。小是指小型化、专用化、模块化、低成本。

（2）功能不断增强，各种应用模块不断推出。

（3）产品更加规范化、标准化。

典型任务 2　PLC 的分类及特点

可编程控制器简称 PLC（Programmable Logic Controller），在 1987 年国际电工委员会（International Electrical Committee）颁布的 PLC 标准草案中对 PLC 做了如下定义：PLC 是一种专门为在工业环境下应用而设计的数字运算操作的电子装置。它采用可以编制程序的存储器，用来在其内部存储执行逻辑运算、顺序运算、计时、计数和算术运算等操作的指令，并能通过数字式或模拟式的输入和输出，控制各种类型的机械或生产过程。PLC 及其有关的外围设备都应该按易于与工业控制系统形成一个整体，易于扩展其功能的原则而设计。

6.2.1　PLC 的分类

按产地分，可分为日系、欧美、韩国、中国等。其中日系具有代表性的为三菱、欧姆龙、松下、光洋等；欧美系列具有代表性的为西门子、ABB、通用电气、德州仪表等；韩国系列具有代表性的为 LG 等；中国系列具有代表性的为合利时、浙江中控等。

按点数分，可分为大型机、中型机及小型机等。大型机一般 I/O 点数 > 2 048 点；具有多 CPU，16 位/32 位处理器，用户存储器容量 8 ~ 16 K，具有代表性的为西门子 S7 - 400 系列、通用公司的 GE - Ⅳ 系列等；中型机一般 I/O 点数为 256 ~ 2 048 点；单/双 CPU，用户存储器容量 2 ~ 8K，具有代表性的为西门子 S7 - 300 系列、三菱 Q 系列等；小型机一般 I/O 点数 < 256 点，单 CPU，8 位或 16 位处理器，用户存储器容量 4K 字以下，具有代表性的为西门子 S7 - 200 系列、三菱 FX 系列等。

按结构分，可分为整体式和模块式。整体式 PLC 是将电源、CPU、I/O 接口等部件都集中装在一个机箱内，具有结构紧凑、体积小、价格低的特点；小型 PLC 一般采用这种整体式结构。模块式 PLC 由不同 I/O 点数的基本单元（又称主机）和扩展单元组成。基本单元内有 CPU、I/O 接口、与 I/O 扩展单元相连的扩展口，以及与编程器或 EPROM 写入器相连的接口等；扩展单元内只有 I/O 和电源等，没有 CPU；基本单元和扩展单元之间一般用扁平电缆连接；整体式 PLC 一般还可配备特殊功能单元，如模拟量单元、位置控制单元等，使其功能得以扩展。这种模块式 PLC 的特点是配置灵活，可根据需要选配不同规模的系统，而且装配方便，便于扩展和维修。大、中型 PLC 一般采用模块式结构。还有一些 PLC 将整体式和模块式的特点结合起来，构成所谓叠装式 PLC。

按功能分，可分为低档、中档、高档三类。低档 PLC 具有逻辑运算、定时、计数、移位以及自诊断、监控等基本功能；还可有少量模拟量输入/输出、算术运算、数据传送和比较、通信等功能；主要用于逻辑控制、顺序控制或少量模拟量控制的单机控制系统。中档 PLC 除具有低档 PLC 的功能外，还具有较强的模拟量输入/输出、算术运算、数据传送和比较、数制转换、远程 I/O、子程序、通信联网等功能；有些还可增设中断控制、PID 控制等功能，适用于复杂控制系统。高档 PLC 除具有中档机的功能外，还增加了带符号算术运算、矩阵运算、位逻辑运算、平方根运算及其他特殊功能函数的运算、制表及表格传送功能等;高档 PLC 机具有更强的通信联网功能,可用于大规模过程控制或构成分布式网络控制系统,实现工厂自动化。

6.2.2　PLC 的特点

1. 可靠性高,抗干扰能力强

高可靠性是电气控制设备的关键性能。PLC 由于采用现代大规模集成电路技术,采用严格的生产工艺制造,内部电路采取了先进的抗干扰技术,具有很高的可靠性。一些使用冗余 CPU 的 PLC 的平均无故障工作时间则更长。从 PLC 的机外电路来说,使用 PLC 构成控制系统,和同等规模的继电接触器系统相比,电气接线及开关接点已减少到数百甚至数千分之一,故障也就大大降低。此外,PLC 带有硬件故障自我检测功能,出现故障时可及时发出警报信息。在应用软件中,应用者还可以编入外围器件的故障自诊断程序,使系统中除 PLC 以外的电路及设备也获得故障自诊断保护。这样,整个系统具有极高的可靠性也就不奇怪了。

2. 配套齐全,功能完善,适用性强

PLC 发展到今天,已经形成了大、中、小各种规模的系列化产品,可以用于各种规模的工业控制场合。除了逻辑处理功能以外,现代 PLC 大多具有完善的数据运算能力,可用于各种数字控制领域。近年来 PLC 的功能单元大量涌现,使 PLC 渗透到了位置控制、温度控制、CNC 等各种工业控制中。加上 PLC 通信能力的增强及人机界面技术的发展,使用 PLC 组成各种控制系统变得非常容易。

3. 易学易用,深受工程技术人员欢迎

PLC 作为通用工业控制计算机,是面向工矿企业的工控设备。它接口容易,编程语言易于为工程技术人员接受。梯形图语言的图形符号与表达方式和继电器电路图相当接近,只用 PLC 的少量开关量逻辑控制指令就可以方便地实现继电器电路的功能。为不熟悉电子电路、不懂计算机原理和汇编语言的人使用计算机从事工业控制打开了方便之门。

4. 系统的设计、建造工作量小,维护方便,容易改造

PLC 用存储逻辑代替接线逻辑,大大减少了控制设备外部的接线,使控制系统设计及建造的周期大为缩短,同时维护也变得容易起来。更重要的是使同一设备经过改变程序改变生产过程成为可能。这很适合多品种、小批量的生产场合。

5. 体积小,质量轻,能耗低

以超小型 PLC 为例,新近生产的品种底部尺寸小于 100 mm,质量小于 150 g,功耗仅数瓦。由于体积小很容易装入机械内部,是实现机电一体化的理想控制设备。

典型任务 3　PLC 的组成及工作原理分析

6.3.1　PLC 的结构

1. PLC 的结构

PLC 的类型繁多,功能和指令系统也不尽相同,但结构与工作原理则大同小异,通常由主机、输入/输出接口、电源、编程器扩展器接口和外部设备接口等几个主要部分组成,如图

6 - 1 所示。

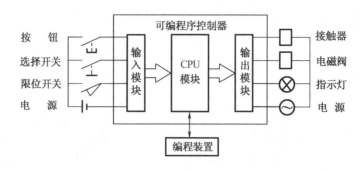

图 6 - 1　PLC 的结构

（1）主机

主机部分包括中央处理器（CPU）、系统程序存储器和用户程序及数据存储器。CPU 是 PLC 的核心,它用以运行用户程序、监控输入/输出接口状态、做出逻辑判断和进行数据处理,即读取输入变量、完成用户指令规定的各种操作,将结果送到输出端,并响应外部设备（如编程器、电脑、打印机等）的请求以及进行各种内部判断等。PLC 的内部存储器有两类,一类是系统程序存储器,主要存放系统管理和监控程序及对用户程序做编译处理的程序,系统程序已由厂家固定,用户不能更改;另一类是用户程序及数据存储器,主要存放用户编制的应用程序及各种暂存数据和中间结果。

（2）输入/输出（I/O）接口

I/O 接口是 PLC 与输入/输出设备连接的部件。输入接口接受输入设备（如按钮、传感器、触点、行程开关等）的控制信号。输出接口是将主机经处理后的结果通过功放电路去驱动输出设备（如接触器、电磁阀、指示灯等）。I/O 接口一般采用光电耦合电路,以减少电磁干扰,从而提高了可靠性。I/O 点数即输入/输出端子数是 PLC 的一项主要技术指标,通常小型机有几十个点,中型机有几百个点,大型机将超过千点。

（3）电源

图中电源是指为 CPU、存储器、I/O 接口等内部电子电路工作所配置的直流开关稳压电源,通常也为输入设备提供直流电源。

（4）编程器

编程器是 PLC 的一种主要的外部设备,用于手持编程,用户可用以输入、检查、修改、调试程序或监示 PLC 的工作情况。除手持编程器外,还可通过适配器和专用电缆线将 PLC 与电脑连接,并利用专用的工具软件进行电脑编程和监控。

（5）输入/输出扩展单元

I/O 扩展接口用于连接扩充外部输入/输出端子数的扩展单元与基本单元（即主机）。

（6）外部设备接口

此接口可将编程器、打印机、条码扫描仪等外部设备与主机相连,以完成相应的操作。

2. FX 系列 PLC 的硬件组成及指令系统

（1）硬件组成

FX 系列 PLC 将一个微处理器、一个集成电源和数字量 I/O 点集成在一个紧凑的封装中,从而形成了一个功能强大的微型 PLC,具体如图 6 - 2 所示。

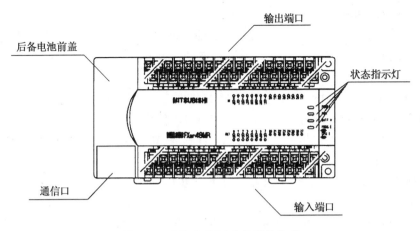

图 6 – 2　FX 系列 PLC 的硬件组成

CPU 负责执行程序和存储数据,以便对工业自动控制任务或过程进行控制。

输入和输出时系统的控制点:输入部分从现场设备中(例如传感器或开关)采集信号,输出部分则控制泵、电机、指示灯以及工业过程中的其他设备。

电源向 CPU 及所连接的任何模块提供电力支持。

通信端口用于连接 CPU 与上位机或其他工业设备。

状态信号灯显示了 CPU 工作模式、本机 I/O 的当前状态,以及检查出的系统错误。

(2)指令系统

基本指令见表 6 – 1。

表 6 – 1　基本指令

名称	助记符	目标元件	说明
取指令	LD	X、Y、M、S、T、C	常开接点逻辑运算起始
取反指令	LDI	X、Y、M、S、T、C	常闭接点逻辑运算起始
线圈驱动指令	OUT	Y、M、S、T、C	驱动线圈的输出
与指令	AND	X、Y、M、S、T、C	单个常开接点的串联
与非指令	ANI	X、Y、M、S、T、C	单个常闭接点的串联
或指令	OR	X、Y、M、S、T、C	单个常开接点的并联
或非指令	ORI	X、Y、M、S、T、C	单个常闭接点的并联
或块指令	ORB	无	串联电路块的并联连接
与块指令	ANB	无	并联电路块的串联连接
主控指令	MC	Y、M	公共串联接点的连接
主控复位指令	MCR	Y、M	MC 的复位
置位指令	SET	Y、M、S	使动作保持
复位指令	RST	Y、M、S、D、V、Z、T、C	使操作保持复位
上升沿产生脉冲指令	PLS	Y、M	输入信号上升沿产生脉冲输出
下降沿产生脉冲指令	PLF	Y、M	输入信号下降沿产生脉冲输出
空操作指令	NOP	无	使步序作空操作
程序结束指令	END	无	程序结束

①逻辑取及线圈驱动指令 LD、LDI、OUT：

LD,取指令。表示一个与输入母线相连的动合接点指令,即动合接点逻辑运算起始。

LDI,取反指令。表示一个与输入母线相连的动断接点指令,即动断接点逻辑运算起始。OUT,线圈驱动指令,也叫输出指令。

LD、LDI 两条指令的目标元件是 X、Y、M、S、T、C,用于将接点接到母线上。也可以与后述的 ANB 指令、ORB 指令配合使用,在分支起点也可使用。

OUT 是驱动线圈的输出指令,它的目标元件是 Y、M、S、T、C。对输入继电器不能使用。OUT 指令可以连续使用多次。

LD、LDI 是一个程序步指令,这里的一个程序步即是一个字。OUT 是多程序步指令,要视目标元件而定。

OUT 指令的目标元件是定时器和计数器时,必须设置常数 K。

②接点串联指令 AND、ANI

AND,与指令。用于单个动合接点的串联。

ANI,与非指令,用于单个动断接点的串联。

AND 与 ANI 都是一个程序步指令,它们串联接点的个数没有限制,也就是说这两条指令可以多次重复使用。这两条指令的目标元件为 X、Y、M、S、T、C。

OUT 指令后,通过接点对其他线图使用 OUT 指令称为纵输出或连续输出。这种连续输出如果顺序没错,可以多次重复。

③接点并联指令 OR、ORI

OR,或指令,用于单个动合接点的并联。

ORI,或非指令,用于单个动断接点的并联。

OR 与 ORI 指令都是一个程序步指令,它们的目标元件是 X、Y、M、S、T、C。这两条指令都是一个接点。需要两个以上接点串联连接电路块的并联连接时,要用后述的 ORB 指令。

OR、ORI 是从该指令的当前步开始,对前面的 LD、LDI 指令并联连接。并联的次数无限制。

④串联电路块的并联连接指令 ORB

两个或两个以上的接点串联连接的电路叫串联电路块。串联电路块并联连接时,分支开始用 LD、LDI 指令,分支结束用 ORB 指令。ORB 指令与后述的 ANB 指令均为无目标元件指令,而两条无目标元件指令的步长都为一个程序步。ORB 有时也简称或块指令。

ORB 指令的使用方法有两种:一种是在要并联的每个串联电路后加 ORB 指令;另一种是集中使用 ORB 指令。对于前者分散使用 ORB 指令时,并联电路块的个数没有限制,但对于后者集中使用 ORB 指令时,这种电路块并联的个数不能超过 8 个(即重复使用 LD、LDI 指令的次数限制在 8 次以下),所以不推荐用后者编程。

⑤并联电路的串联连接指令 ANB

两个或两个以上接点并联电路称为并联电路块,分支电路并联电路块与前面电路串联连接时,使用 ANB 指令。分支的起点用 LD、LDI 指令,并联电路结束后,使用 ANB 指令与前面电路串联。ANB 指令也简称与块指令,ANB 也是无操作目标元件,是一个程序步指令。

⑥主控及主控复位指令 MC、MCR

MC 为主控指令,用于公共串联接点的连接,MCR 叫主控复位指令,即 MC 的复位指令。在编程时,经常遇到多个线圈同时受到一个或一组接点控制。如果在每个线圈的控制电路中都串入同样的接点,将多占用存储单元,应用主控指令可以解决这一问题。使用主控指令的接点称为主控接点,它在梯形图中与一般的接点垂直。它们是与母线相连的动合接点,是控制一组电路的总开关。

　　MC 指令是 3 程序步,MCR 指令是 2 程序步,两条指令的操作目标元件是 Y、M,但不允许使用特殊辅助继电器 M。

　　⑦置位与复位指令 SET、RST

　　SET 为置位指令,使动作保持;RST 为复位指令,使操作保持复位。SET 指令的操作目标元件为 Y、M、S。而 RST 指令的操作元件为 Y、M、S、D、V、Z、T、C。这两条指令是 1～3 个程序步。用 RST 指令可以对定时器、计数器、数据寄存、变址寄存器的内容清零。

　　⑧脉冲输出指令 PLS、PLF

　　PLS 指令在输入信号上升沿产生脉冲输出,而 PLF 在输入信号下降沿产生脉冲输出,这两条指令都是 2 程序步,它们的目标元件是 Y 和 M,但特殊辅助继电器不能作目标元件。使用 PLS 指令,元件 Y、M 仅在驱动输入接通后的一个扫描周期内动作(置1)。而使用 PLF 指令,元件 Y、M 仅在驱动输入断开后的一个扫描周期内动作。

　　使用这两条指令时,要特别注意目标元件。例如,在驱动输入接通时,PLC 由运行到停机到运行,此时 PLS M0 动作,但 PLS M600(断电时,电池后备的辅助继电器)不动作。这是因为 M600 是特殊保持继电器,即使在断电停机时其动作也能保持。

　　⑨空操作指令 NOP

　　NOP 指令是一条无动作、无目标元件的 1 程序步指令。空操作指令使该步序作空操作。用 NOP 指令替代已写入指令,可以改变电路。在程序中加入 NOP 指令,在改动或追加程序时可以减少步序号的改变。

　　⑩程序结束指令 END

　　END 是一条无目标元件的 1 程序步指令。PLC 反复进行输入处理、程序运算、输出处理,若在程序最后写入 END 指令,则 END 以后的程序就不再执行,直接进行输出处理。在程序调试过程中,按段插入 END 指令,可以按顺序扩大对各程序段动作的检查。采用 END 指令将程序划分为若干段,在确认处于前面电路块的动作正确无误之后,依次删去 END 指令。要注意的是在执行 END 指令时,也刷新监视时钟。

6.3.2　PLC 的工作原理

　　PLC 是采用"顺序扫描,不断循环"的方式进行工作的。即在 PLC 运行时,CPU 根据用户按控制要求编制好并存于用户存储器中的程序,按指令步序号(或地址号)做周期性循环扫描,如无跳转指令,则从第一条指令开始逐条顺序执行用户程序,直至程序结束。然后重新返回第一条指令,开始下一轮新的扫描。在每次扫描过程中,还要完成对输入信号的采样和对输出状态的刷新等工作。

　　PLC 的扫描一个周期必经输入采样、程序执行和输出刷新三个阶段。

　　PLC 在输入采样阶段:首先以扫描方式按顺序将所有暂存在输入锁存器中的输入端子的通断状态或输入数据读入,并将其写入各对应的输入状态寄存器中,即刷新输入。随即关闭输入端口,进入程序执行阶段。

　　PLC 在程序执行阶段:按用户程序指令存放的先后顺序扫描执行每条指令,执行的结果再写入输出状态寄存器中,输出状态寄存器中所有的内容随着程序的执行而改变。

输出刷新阶段：当所有指令执行完毕，输出状态寄存器的通断状态在输出刷新阶段送至输出锁存器中，并通过一定的方式（继电器、晶体管或晶闸管）输出，驱动相应输出设备工作。

典型任务 4　船舶 PLC 的应用

PLC 在船舶自动控制领域应用十分广泛，应用举例在实际使用时，可以首先根据各种控制的要求画出梯形图，然后合理地选择 PLC 型号规格；根据梯形图编写程序，并且通过编程器输入程序，接好各控制线进行现场调试。以下介绍简单的应用实例，加深对其进一步的认识。

6.4.1　船舶电机星/三角 PLC 启动控制

目前，船舶的电机多为三相交流电机，针对大功率的电机在启动过程中选择星三角启动的比较普遍。

船舶三相交流异步电机的 Y–△ 启动控制电气原理图如图 6–3 所示，在启动时，按 SB_1 使接触器 KM、KM_Y 和时间继电器动作，它的常开触点闭合，使电动机的绕组为 Y 形连接。电动机启动旋转后，通过时间控制，待 KT 触头动作使接触器 KM_Y 断开，而接触器 $KM_△$ 闭合，使电动机的绕组改为 △ 形联结，达到了 Y 时启动 △ 时运转的目的。根据这个控制要求，可以画出如图 6–4 所示的梯形图。在图中，定义号 X00 与 X01 为输入触点，在输入模块中分别接入控制按钮 SB_1 与 SB_2。SB_1 的定义号为 X01，SB_2 的定义号为 X01。定义号 Y30、Y31 与 Y32 为输出接点，KM 为 Y30、KM_Y 为 Y31、$KM_△$ 为 Y32。如图 6–2 所示为该梯形图的程序。根据梯形图，对其工作原理做以下说明。按启动按钮 SB_1，接点 X00 接通，Y30 接通使接触器 KM 常开接点闭合自锁，同时 Y31 接通接触器 KM_Y，KM 和 KM_Y 常开接点都接通，计时器 T50 开始计时，电动机的绕组按 Y 形联结，开始启动。

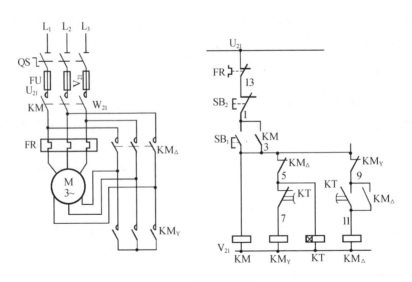

6–3　电气原理图

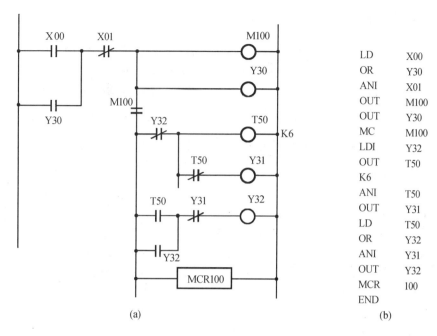

图6-4 Y-△启动控制的梯形图

（a)梯形图;(b)梯形图的程序

5 s后,计时器 T50 线圈工作,使 Y31KM$_Y$ 线圈断开,Y32 线圈接通,电动机绕组按△形联结,进入正常运行。当要求电动机停转时,只要按停止按钮 SB$_2$,这时 X01 接点断开,所有线圈断开,接触器全部失电,电动机就停止运转了。在实际使用时,必须把 KM$_Y$ 与 KM$_△$ 的接触器按照常规接法进行联锁,以保证安全可靠工作。

典型任务5 PLC 的基本指令操作

6.5.1 任务目的

1. 了解 PLC 软硬件结构及系统组成。
2. 掌握 PLC 外围直流控制及负载线路的接法及上位计算机与 PLC 通信参数的设置。

6.5.2 任务设备(表6-2)

表6-2 任务设备

序号	名称	型号与规格	数量	备注
1	可编程控制器实训装置	THPFSL-1/2	1	
2	实训导线	3 号	若干	
3	SC-09 通信电缆		1	三菱
4	计算机		1	自备

6.5.3　控制要求

1. 认知三菱 FX 系列 PLC 的硬件结构,详细记录其各硬件部件的结构及作用。
2. 打开编程软件,编译基本的与、或、非程序段,并下载至 PLC 中。
3. 能正确完成 PLC 端子与开关、指示灯接线端子之间的连接操作。
4. 拨动 K0、K1,指示灯能正确显示。

6.5.4　功能指令使用及程序流程图

1. 常用位逻辑指令使用

与逻辑

```
      X000    X001
  0 ──┤├──────┤├────────────────────────────(Y00)
```

　　与逻辑:如上所示,X00、X01 状态均为 1 时,Y00 有输出;当 X00、X01 两者有任何一个状态为 0,Y00 输出立即为 0。

或逻辑

```
      X000
  3 ──┤├──┬───────────────────────────────(Y01)
      X001│
    ──┤├──┘
```

　　或逻辑:如上所示,X00、X01 状态有任意一个为 1 时,Y01 即有输出;当 X00、X01 状态均为 0,Y01 输出为 0。

非逻辑

```
      X000    X001
  6 ──┤╱├──────┤╱├──────────────────────────(Y02)
```

　　非逻辑:如上所示,X00、X01 状态均为 0 时,Y02 有输出;当 X00、X01 两者有任何一个状态为 1,Y02 输出立即为 0。

2. 程序流程图

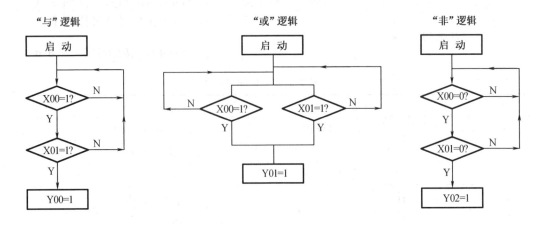

6.5.5　端口分配及接线图

1. I/O 端口分配功能表(表6－3)

表6－3　I/O 端口分配功能表

序号	PLC 地址(PLC 端子)	电气符号(面板端子)	功能说明
1	X00	K0	常开触点 01
2	X01	K1	常开触点 02
3	Y00	L0	"与"逻辑输出指示
4	Y01	L1	"或"逻辑输出指示
5	Y02	L2	"非"逻辑输出指示
	主机 COM$_0$、COM$_1$、COM$_2$ 等接电源 GND		电源端

2. 控制接线图(图6－5)

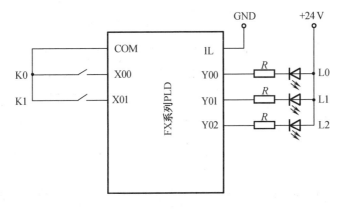

图6－5　控制接线图

6.5.6　操作步骤

1. 按图6－6连接上位计算机与 PLC。

2. 按"控制接线图"连接 PLC 外围电路；打开软件，点击"在线/传输设置"，在弹出的对话框中选择电脑串口及通信速率；如图6－7所示。

3. 编译实训程序，确认无误后，点击"在线/PLC 写入"，将程序下载至 PLC 中，下载完毕后，将 PLC 模式选择开关拨至 RUN 状态。

4. 将 K0、K1 均拨至 OFF 状态，观察记录 L0 指示灯点亮状态。

5. 将 K0 拨至 ON 状态，将 K1 拨至 OFF 状态，观察记录 L1 指示灯点亮状态。

6. 将 K0、K1 均拨至 ON 状态，观察记录 L2 指示灯点亮状态。

6.5.7　任务总结

1. 详细描述 FX 系列 PLC 的硬件结构。

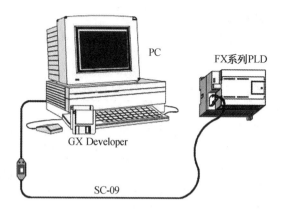

图 6-6　连接计算机与 PLC

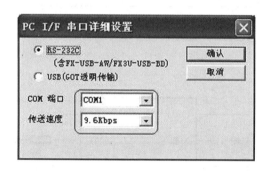

图 6-7　I/F 串口详细设置

2. 总结出上位计算机与 FX 系列 PLC 通信参数的设置方法。

典型任务 6　船舶电机 PLC 的启动控制调试

6.6.1　实训目的

1. 掌握 PLC 外围直流控制及交流负载线路的接法及注意事项。
2. 掌握用 PLC 控制电机运行状态的方法。

6.6.2　实训设备(表 6-4)

表 6-4　实训设备

序号	名称	型号与规格	数量	备注
1	可编程控制器实训装置	THPFSL-1/2	1	
2	电机实操单元	B20	1	
3	实训导线	3 号转 4 号	若干	
4	SC-09 通信电缆		1	三菱
5	计算机		1	自备

6.6.3　面板图(图 6 - 8)

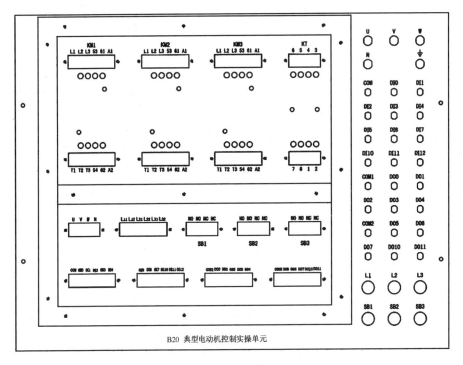

图 6 - 8　面板图

6.6.4　功能指令使用及程序流程图

1. 定时器指令使用

定时器指令累计可编程控制器内的 1 ms、10 ms、100 ms 等的时钟脉冲,当达到所定的设定值时,输出触点动作。采用程序存储器内的常数(K)作为设定值,也用数据寄存器(D)的内容进行间接指定。

序号	类型	范围	备注
1	100 ms	T0 ~ T199;共 200 点(0.1 ~ 3 276.7 s)	
2	10 ms	T200 ~ T245;共 46 点(0.01 ~ 327.67 s)	
3	1 ms 累计型	T246 ~ T249;共 4 点(0.001 ~ 32.767 s)	停电保持
4	10 ms 累计型	T250 ~ T255;共 6 点(0.1 ~ 3 276.7 s)	停电保持

2. 程序流程图(图6-9)

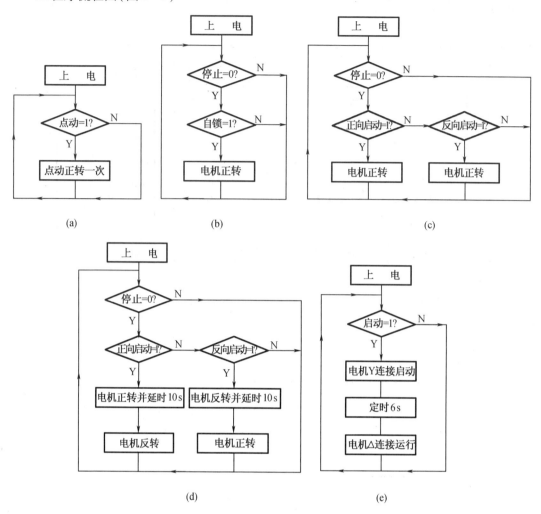

图6-9　程序流程图

(a)点动控制;(b)自锁控制;(c)联锁正反转控制;(d)带延时正反转控制;(e)星/三角换接启动控制

6.6.5　控制要求

1. 点动控制(图6-10)

每按动启动按钮 SB_1 一次,电动机做星形连接运转一次。

2. 自锁控制(图6-10)

按启动按钮 SB_1 ,电动机做星形连接启动,只有按下停止按钮 SB_2 时电机才停止运转。

3. 联锁正反转控制(图6-10)

按启动按钮 SB_1 ,电动机做星形连接启动,电机正转;按启动按钮 SB_2 ,电动机做星形连接启动,电机反转;在电机正转时,反转按钮 SB_2 被屏蔽,在电机反转时,反转按钮 SB_1 被屏蔽;如需正反转切换,应首先按下停止按钮 SB_3 ,使电机处于停止工作状态,方可对其做旋转方向切换。

4. 延时正反转控制(图6-10)

按启动按钮 SB_1,电动机做星形连接启动,电机正转,延时10 s后,电机反转;按启动按钮 SB_2,电动机做星形连接启动,电机反转,延时10 s后,电机正转;电机正转期间,反转启动按钮无效,电机反转期间,正转启动按钮无效;按停止按钮 SB_3,电机停止运转。

5. 星/三角换接启动控制(图6-11)

按启动按钮 SB_1,电动机做星形连接启动;6 s后电机转为三角形方式运行;按下停止按钮 SB_3,电机停止运行。

6.6.6 端口分配及接线图

1. I/O 端口分配功能表

序号	PLC 地址(PLC 端子)	电气符号(面板端子)	功能说明
1	X00	SB_1	正转启动
2	X01	SB_2	反转启动
3	X02	SB_3	停止
4	Y00	KM_1	继电器01
5	Y01	KM_2	继电器02
6	Y02	KM_3	继电器03
7	主机输入端 COM 接电源 GND		输入规格
8	主机输出端 COM0、COM_1、COM_2 等接交流电源 N		输出规格

2. 接线图

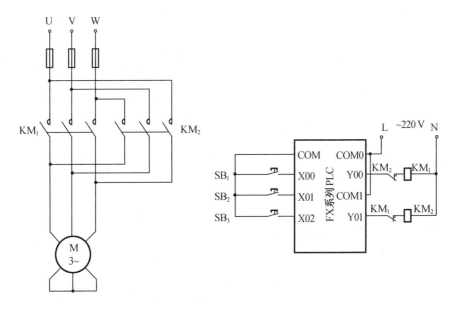

图6-10 接线图

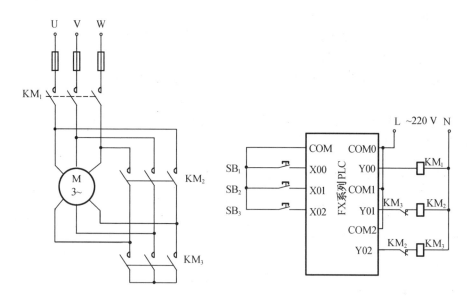

图 6 – 11　星/三角换接启动控制电路图

6.6.7　操作步骤

1. 按控制接线图连接控制回路与主回路。
2. 将编译无误的控制程序下载至 PLC 中,并将模式选择开关拨至 RUN 状态。
3. 分别拨动 $SB_1 \sim SB_3$,观察并记录电动机运行状态。
4. 尝试编译新的控制程序,实现不同于示例程序的控制效果。

6.6.8　实训总结

尝试从控制接线图分析电动机控制电路的工作原理。

【小结】

本部分主要讲述了 PLC 的基本特点、产生、应用和发展趋势,并介绍了 PLC 的工作原理、基本指令系统和船舶 PLC 的基本应用方法。

【思考与习题】

1. 简述 PLC 的组成及工作原理。
2. 绘制 PLC 的基本指令符号,并说明其功能。

学习情境 7　船舶自动控制理论

【学习任务概况】

知识目标：明确本部分内容、性质和任务以及学习的意义，介绍自动控制系统的基本概念和组成。了解本课程的内容、性质和任务，掌握控制的基本方式。

能力目标：能正确分析开环控制及闭环控制；具有识读简单自动控制原理框图的能力。

【理论部分】

典型任务 1　自动控制技术概述

7.1.1　自动控制在国民经济中的作用

20 世纪中叶以来，随着科技的发展，自动控制技术的作用越来越重要。

所谓的自动控制是指在无人直接参与的情况下，通过控制器使被控制对象或过程自动地按照预定的要求运行。

在生产和科学的发展过程中，自动控制起着重要的作用。目前，自动控制广泛地应用于现代的工业、农业、国防和科学技术领域中。可以这样说，一个国家在自动控制方面的水平，是衡量它的生产技术和科学技术水平先进与否的一项重要标志。自动控制涉及的范围很广：

1.军事领域中

导弹命中目标、飞机驾驶系统。

2.航天技术方面

登月计划，航天飞机；宇宙飞船准确在月球上着陆并能重返地球。人造卫星按预定轨迹运行并返回地面。

3.工业生产过程中

对压力、温度、湿度、流量、频率及原料、燃料成分比例等方面的控制，全自动生产线。

4.现代农业生产中

温室自动温控系统，自动灌溉系统。

生产的自动化，管理的科学化，大大地改善了劳动条件，增加了产量，提高了产品质量。近十几年来，由于计算机的广泛应用，自动控制理论更加迅速向前发展，使得自动控制技术所能完成的任务更加复杂，水平大大地提高。电子技术的飞速发展，计算机技术的迅猛发展，犹如为自动控制技术安上两只翅膀，自动控制技术将在愈来愈多的领域发挥愈来愈重要的作用。因此，各个领域的工程技术人员和科学工作者，都必须具备一定的自动控制知识。

5. 经济与社会生活的其他领域

导航控制系统使汽车自动保持在设定车速;刹车防抱死系统自动防止汽车在湿滑的路面上打滑;在大型办公楼或旅馆,电梯调度系统自动发送车辆搭载乘客。

一个现代化的居室内,温度由温度调节装置自动控制。

7.1.2　古典与现代控制理论

根据自动控制技术发展的不同阶段,自动控制理论通常分为"经典控制理论"和"现代控制理论"两大部分。

古典控制理论是以传递函数为基础,研究单输入—单输出一类定常系统的分析与设计。例如工程上的伺服系统与恒值系统自动控制。研究的主要内容:系统数学模型的建立;时域分析法;频域分析法;根轨迹法;非线性系统;采样控制系统。

频率响应法和根轨迹法是古典控制理论的核心。由这两种方法设计出来的系统是稳定的,并且或多或少地满足一组适当的性能要求。一般来说,这些系统是令人满意的,但它不是某种意义上的最佳系统。

现代控制理论是指20世纪60年代在古典控制理论基础上随科学的发展和工程实践的需要而迅速发展起来的,是在自动控制理论认识上的一次飞跃,而不是古典控制理论的简单延伸和推广。它是以状态空间法为基础研究多输入—多输出、时变、非线性、高精度、高效能等控制系统的分析与设计问题。例如最优控制、最佳滤波、系统辨识、自适应控制等理论。其重要标志:状态空间法,形成几个分支:线性系统理论;最优控制理论;系统辨识与自适应控制;大系统理论和特大系统理论。

如今,数字计算机的价格比较便宜,而且体积也变得更为紧凑,它们已成为控制系统中不可缺少的组成部分。现代控制理论的近期应用已经扩充到非工程系统,诸如生物系统、生物医学系统、经济系统和社会经济系统。

总结两种理论的主要区别:

数学模型不同:外部输入—输出描述的传递函数(古典控制理论)

　　　　　　　内部状态的状态空间法(现代控制理论)

数学工具不同:积分变换(古典控制理论)

　　　　　　　微分方程、线性代数、数值计算(理代控制理论)

研究领域不同:频域(古典控制理论)

　　　　　　　时域(现代控制理论)

7.1.3　人工控制

在人直接参与的情况下,利用控制装置使被控制对象和过程按预定规律变化的过程,称为人工控制。将由人参与的控制系统称为人工控制系统。下面就以直流电动机调速系统为例来说明这个问题。

首先,人们将测得的转速 n 与希望的转速 n_r 比较,看它们是否相等。所谓比较,就是人在脑子里进行一个简单的减法运算,即把通过测量仪器测得的实际转速 n 与脑子里记忆的希望值 n_r 相减,其偏差为 n_e。然后,根据偏差 n_e 的大小和正负来改变图7-1中的2或1,从而改变了 U_f 或 U_r,使实际输出转速 n 接近或等于希望值 n_r。由此可见,人在控制过程中主要实现了测量、比较和执行这三种作用。

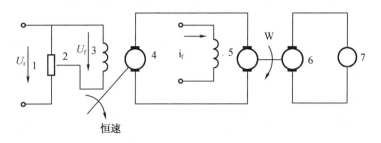

图 7 - 1 直流电动机调速系统 1

显然,在负载变化较小,转速变化不大的场合,采用人工控制是可以完成的,但是人工控制系统有许多缺点,甚至有时也是不可能实现的。首先,人工控制系统的控制精度不高,或者说控制精度完全取决于操作者的经验;其次,由于有些控制过程动作极快,人的反应不能适应;再则,有些场合如高温、放射性等对人体有危害的领域,人无法直接参与控制。因此,为了进一步改善控制系统的性能,必须应用机械、电气、液压等自动化装置来代替人对一些物理量自动地进行控制,这样人工控制系统就发展成为自动控制系统。

7.1.4 自动控制

所谓自动控制就是在无人直接参加的情况下,利用控制装置使被控制对象和过程自动地按预定规律变化的控制过程。所谓自动控制系统是由控制装置和被控制对象所组成,它们以某种相互依赖的方式结合成为一个有机整体,并对被控制对象进行自动控制。下面仍以上例来说明如何用一些设备代替人所起的作用来完成自动控制的任务。

直流电动机 5 的转速由测速发电机 6 测量,并通过电压表 7 显示。与电动机转速对应的测速发电机电压 U_n 经反馈线回送到系统的输入端和给定电压 U_0 相比较,其差值 e 经放大器 3、直流发电机 4 两端电压为 U_a,这个电压施加在电动机电枢两端使电动机按预定的转速旋转。当转速对应的测速发电机电压 U_n 偏离给定值 U_0 时,U_0 与 U_n 之差将为 $e \pm \Delta e$,这个变化后的误差电压经放大器、发电机两端电压 U_a 就相应升高或降低,从而使电动机的转速恢复到给定的数值。

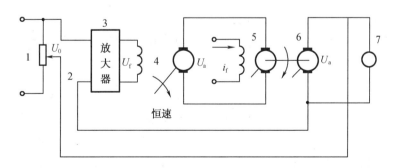

图 7 - 2 直流电动机调速系统 2

典型任务 2　开环控制与闭环控制分析

7.2.1　开环控制

1. 定义

开环控制指控制装置与被控制对象之间只有正方向作用而没有反向联系的控制过程。在开环系统中,不需要对输出量进行测量,其结构图如图 7-3 所示。如交通指挥的红绿灯转换,自动生产线等。

图 7-3　开环控制系统

洗衣机就是开环控制系统的例子。浸湿、洗涤和漂清过程,在洗衣机中是依次进行的,在洗涤过程中,无须对其输出信号,即衣服的清洁程度进行测量。

2. 开环控制的特点

(1)输出不影响输入,对输出不需测量,通常较易实现;

(2)组成系统的元、部件精度高,系统精度才能高;

(3)系统的稳定性不是主要问题。

3. 开环系统存在的问题

(1)要求元、部件的精度要高;

(2)当存在变化规律无法预测的干扰时,不容易实现。

7.2.2　闭环系统

1. 定义

闭环系统指控制对象之间既有正方向的作用,又有反方向联系的控制过程。

在闭环系统中,需对输出量进行测量,如图 7-4 所示,为其结构图。如小功率随动系统,雷达控制系统等。

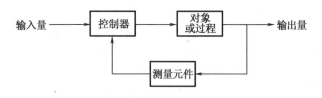

图 7-4　闭环控制系统

显然,闭环系统为反馈系统,据反馈极性的不同,反馈可分为通过反馈使偏差增大的正反馈和通过反馈使偏差减小的负反馈。一般无特殊说明,下面我们所讲的反馈系统均为负反馈系统。

反馈:把取出的输出量送回输入端,并与输入信号相比较产生偏差信号的过程,称为反馈。若反馈的信号与输入信号相减,使产生的偏差越来越小,则称为负反馈;反之,则称为正反馈。

反馈控制:就是采用负反馈并利用偏差进行控制的过程,而且由于引入了被反馈量的反馈信息,整个控制过程成为闭合的,因此反馈控制也称为闭环控制。

输入信号和反馈信号之差,称为误差信号,误差信号加到控制器上,以减小系统的误差,并使系统的输出量趋于所希望的值。换句话说,"闭环"这个术语的含义,就是应用反馈作用来减小系统的误差。

2.闭环系统的特点

(1)输出影响输入,所以能削弱或抑制干扰;

(2)低精度元件可组成高精度系统;

(3)因为可能发生超调、振荡,故闭环控制的稳定性很重要。

一般来说,当系统控制的规律能预先确知,并对系统可能出现的干扰可以做到有效抑制时,应采用开环系统。因为开环控制系统结构简单,易于维修,成本低,试用期短,特别被控制量很难测量时更是如此。只有在系统的控制量和扰动量均无法预知的情况下,闭环系统才有其明确的优越性。值得注意的是,控制系统的干扰往往是未知的,加之其他原因,所以,常见的系统大多是闭环系统。

3.闭环与开环控制系统的比较

反馈控制:特点偏差控制,可以抑制内、外扰动对被控制量产生的影响。精度高、结构复杂,设计、分析麻烦。

开环控制:顺向作用,没有反向的联系,没有修正偏差能力,抗扰动性较差。结构简单、调整方便、成本低。在精度要求不高或扰动影响较小的情况下,这种控制方式还有一定的实用价值。

开环控制按给定量控制和按扰动控制,可产生一定的补偿作用,适用于扰动可测量的场合。

复合控制:将按偏差控制与按扰动控制结合起来,对于主要扰动采用适当补偿装置实现扰动控制。同时,再组成反馈控制系统实现按偏差控制,以消除其余扰动产生的偏差。

7.2.3 自动控制系统的分类

1.按控制方式分

(1)开环控制;

(2)闭环控制,反馈控制;

(3)复合控制。

2.按元件类型分

(1)机械系统——恒张力系统;

(2)电气系统;

(3)机电系统——全自动照相机,光机电结合;

(4)液压系统——伺服液压缸,汽车发动机,大型的仿真模拟台;

(5)气动系统;

(6)生物系统。

3.按系统功用分

（1）温度控制系统；

（2）压力控制系统；

（3）位置控制系统。

4.按系统性能分

（1）线性系统；

（2）非线性系统；

（3）连续系统；

（4）定常系统；

（5）时变系统；

（6）确定性系统；

（7）不确定性系统。

5.按参变量变化规律分

如果系统可用微分方程式描述,表示成输入量与输出量的微分方程,且微分方程的系数是常数为时不变系统;反之,如果微分方程的系数随时间变化,称为时变系统。

线性定常系统按其输入量的变化规律不同又可分为:恒值控制系统、随动系统和程序控制系统。

（1）恒值控制系统

参变量是一个常值,要求被控量亦等于一个常值。

温度控制系统——恒温箱（刚出生的早产儿要放在保温箱里,做温度试验时）温度一经调整,被控量就应与调整好的参变量保持一致。如压力控制系统、液位控制系统等。

（2）随动系统

这类系统的参变量是预先未知的随时间任意变化的函数,要求被控制量以尽可能小的误差跟随参变量的变化。在随动系统中,扰动的影响是次要的,系统分析、设计的重点是研究被控制量跟随的快速性和准确性。函数记录仪、高炮自动跟踪系统便是典型的随动系统的例子。在随动系统中,如果被控制量是机械位置（角位置）或其导数时,这类系统称为伺服系统。

（3）程序控制系统

这类控制系统的参变量是按预定规律随时间变化的函数,要求被控制量迅速、准确地复现。机械加工使用的数字程序控制机床便是一例。程序控制系统和随动系统的参变量都是时间的函数,不同之处在于程序控制系统是已知的时间函数,随动系统是未知的任意的时间函数,而恒值控制系统可视为程序控制系统的特例。

随着计算机的发展,利用数字计算机进行控制的系统越来越多。连续信号经过开关的采样→（可以转换成）离散系统,离散系统用差分方程描述。工业计算机控制系统就是典型的离散系统。

系统中只要有一个元部件的输入输出特性是非线性,这类系统就称为非线性控制系统。严格地说,实际物理系统中都含有不同程度的非线性元部件。饱和特性、死区、间隙和摩擦等产生,使得线性元件具有非线性特性。

典型任务3 船舶自动化

7.3.1 船舶自动化概况

自动控制:在无人直接参加的情况下,利用控制装置使被控对象和过程自动地按预定规律变化的控制过程。二战以后,船舶自动化技术获得很快的发展,主要在船舶操纵与机舱设备运转过程中,自动化得到了大大的提升。

船舶自动化主要包括:轮机自动化、航海自动化和船体自动化。

1.轮机自动化

(1)主辅机遥控。在驾驶台操纵主机和舵机,在机舱集中控制室控制主机、发电机和其他辅助机械设备。

(2)数据自动记录。定时记录轮机日志,自动记录车钟、数据、舵令及主辅机工况参数。

(3)运行情况的集中监视和自动调节处理。主辅机工况的运行情况的集中监视和自动调节、集中显示、参数的越限报警及自动调节以保持参数恒定;故障后的自动切换、处理。

(4)自动分析机器故障的原因和提出维修预报。

(5)船舶电站自动化。

2.航海自动化

(1)电子海图的显示与信息系统;

(2)雷达、卫星导航和定位系统;

(3)船舶自动识别系统(AIS);

(4)自动操舵系统;

(5)最佳航线编制系统;

(6)船载航行数据记录仪(VDR);

(7)自动避碰系统;

(8)现代船舶管理系统;

(9)船舶治安报警系统(SSAS);

(10)综合船桥系统(IBS)。

3.船体自动化

(1)船体受力状态监控;

(2)最佳配载计算;

(3)货油自动装卸;

(4)系泊自动化;

(5)压载水的自动排装;

(6)冷藏舱和冷藏集装箱的温度自动调节和监视报警;

(7)船内通信自动化、生活设施自动化以及医疗自动化。

7.3.2 船舶操纵自动舵工作原理

船舶操纵的自动舵是船舶系统中的一个不可缺少的重要设备,是用来控制船舶航向的设备,能使船舶在预定的航向上运行,它能克服使船舶偏离预定航向的各种干扰影响,使船舶自动地稳定在预定的航向上运行,是操纵船舶的关键设备。它的性能直接关系到船舶的航行安全和经济效益。代替人力操舵的自动舵的发展在相当程度上减少了人力,节省了燃料,降低了机械磨损,直接影响到船舶航行的操纵性、经济性和安全性。

舵机装置由操舵装置、舵机、传动机构和舵叶四部分组成。

(1)操舵装置:操舵装置的指令系统,由驾驶室的发送装置和舵机房的接受装置组成。

(2)舵机:转舵的动力。

(3)传动机构:能将多机产生的转舵力矩传递给舵杆。

(4)舵叶:环绕舵柱偏转,承受水流的作用力,以产生转舵力矩。

在自动操舵仪中,按控制系统分类可分为三种操舵方式:

(1)直接控制系统或称单舵系统、应急操舵。

(2)随动控制系统。

(3)自动操舵控制系统,又称自动航向稳定系统。

自动操舵适用于船舶在海面上长时间航行。随动操舵供船舶经常改变航向时使用,如在内河、狭航道区和进出港口。当自动航向/航迹、随动操纵出现故障时,可用应急的简单操舵,直接由人工控制电磁换向阀,使舵正、反或停转。

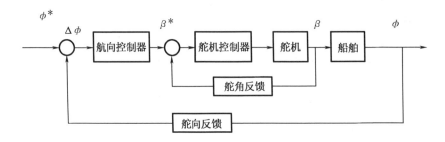

图 7 – 5   自动舵控制系统图

原理:利用电罗经检测船舶实际航向 ϕ,然后与给定航向 ϕ^* 进行比较,其差值作为操舵装置的输入信号,使操舵装置动作,改变偏舵角 β。在舵角的作用下,船舶逐渐回到正航向上。船舶回到正航向后,舵叶不再偏转。

自动舵的控制原理:

(1)比例舵(P 舵)

比例舵操舵的规律是:偏舵角 β 的大小与偏航角 ϕ 的大小成比例关系,即

$$\beta = -K_1\phi \qquad\qquad (7-1)$$

式中 β——偏舵角;

$\quad\quad K_1$——比例系数;

$\quad\quad \phi$——偏航角;

$\quad\quad$ –——偏舵角方向是消除偏航。

K_1 是可调的比例系数,一般根据船型、吃水、装载量来确定。船舶载荷增加(惯量 J 加大),航速变慢,使周期 T 变长。为了缩短周期使船舶偏航迅速消除,就可加大 K_1。K_1 随船型而不同,对万吨船来说,一般为 2～3,即偏航 1°时,偏舵角为 2°～3°。比例系数过大,将使船舶偏航振幅加大。因此比例操舵虽然简单、可靠,但航向稳定精度较差。当受一舷持续偏航力矩作用时,不能保证船舶的定向航行。

性能:可消除偏航。

特点:机构简单,航行保持精度较差,船舶营运经济性较差(会出现S形航迹)。

比例舵的不足:偏航初期偏舵角较小,不能很快阻止船舶继续偏航;回航过程中船舶具有惯性,偏舵角不能及时减小,容易反向偏航。

(2)比例－微分舵(PD舵)

比例－微分舵操舵的规律是:偏舵角 β 的大小与偏航角 ϕ 的大小成比例－微分关系,即

$$\beta = -(K_1\phi + K_2 d\phi/dt) \tag{7-2}$$

(表示偏舵角与偏航角和偏航角速度成比例)

如果传播偏航速度大,产生的 $-K_2 d\phi/dt$ 也大,则舵角 β 就增加,船回航时 $d\phi/dt$ 变号,使回舵角增加。

微分部分作用是保证偏舵速度和偏舵角,从而能教好地克服船舶惯性,提高航向的精度,减少船舶的s航迹,使船舶较快的稳定在正航向上。

原理:船舶回到正航向前,已受到微分部分的反向舵作用,从而能有效地阻止因惯性而向反方向的偏航。微分舵又叫纠偏舵、稳航角或反舵角。偏航初期,偏航角变化率大,比例－微分舵能及时给出大偏舵,有效地阻止船舶偏航(最大偏航角较小);回航时,偏航角变化率变为负值,能适时给出反舵角,阻止船舶反向偏航,即能有效阻止反向偏航。

主要特点:具有"超前校正"的控制作用,减小船舶航向的振荡,减轻舵机负担,增加航速,提高系统灵敏度和船舶的营运效益。

(3)比例－微分－积分舵(PID舵)

组成:是在比例－微分舵基础上增加积分环节。

$$\beta = -(K_1\phi + K_2 d\phi/dt + K_3 d\phi dt) \tag{7-3}$$

其中,K_3 是积分系数。积分环节作用是克服不对称偏航。

积分环节工作原理:积分环节可以对偏航持续时间进行累积,当某舷(侧)偏航持续的时间比另一舷(侧)持续时间长时,通过环节输出的信号(偏舵角)将继续保持,这个信号将通过执行机构使舵叶维持在一定的偏转角度上,从而使船舶具有克服单向偏航的能力。

由于卫星、计算机、雷达技术在船舶上的应用,现代船舶自动化程度相当高,自动操舵仪开始向智能舵发展。不管怎样发展,虽然它们的控制规律各不相同,但控制的目的是一致的,即能按照偏航角的大小转动相应的舵角,并使船舶尽快地到达规定的航向。

【小结】

本部分主要讲述了船舶自动控制的基本知识、开环控制和闭环控制系统的区别,及自动控制在船舶上的应用。

【思考与习题】

1.简述开环控制系统与闭环控制系统的区别。

2.根据图7－5简述自动舵的操作过程。

3.列举自动控制系统的船舶电气设备,并画出系统图。

参 考 文 献

[1] 刘国平. 电工工艺与船舶电气系[M]. 北京:北京大学出版社,2008.

[2] 阮友德. 电气控制与 PLC[M]. 北京:人民邮电出版社,2009.

[3] 肖建章. 自动控制技术[M]. 北京:中国劳动社会保障出版社,2004.

[4] 初忠. 轮机自动化[M]. 大连:大连海事大学出版社,2006.

[5] 施春红. 船舶电气设备及自动控制[M]. 哈尔滨:哈尔滨工程大学出版社,2002.